티가 나는 교사의 학교생활 이야기(Talk)

나는
교육실천가다.
Technology Teacher

글 강신진

BOOKK✐

티가 나는 교사의 학교생활 이야기(Talk)

나는 교육실천가
Technology Teacher

저 자 | 강신진

발 행 | 2023년 8월 1일
펴낸이 | 한건희
펴낸곳 | 주식회사 부크크
출판사 등록 | 2014.7.15.(제2014-16호)
주 소 | 서울특별시 금천구 가산디지털1로 119
            (SK 트윈타워 A동 305호)
전 화 | 1670-8316

ISBN | 979-11-410-3760-4

www.bookk.co.kr
ⓒ 강신진 2023

들어가기

교사는 배워서 남 주는 삶이다. 가르친다는 건 배우는 것이요, 배운다는 것은 누군가에 알려주려는 것이다. 교사는 이 일을 평생 하는 삶이요, 교사는 일신우일신(日新又日新)의 삶이다.

교직 수행에 필요한 담임, 교수 학습과 수업에 대한 경험과 업무, 행복한 교사 학교생활 경험을 나열한 안내서이다.

1부는 교사는 수업전문가이며, 교사가 학교 업무에서 행하는 교직이 성직(聖職)인 의미와 내용을 담고 있다.

2부는 담임교사 바쁜 일상에 관한 내용으로, 학급 담임 업무 내용과 방법을 시로 설명했다. 생활지도와 진로지도 중심으로 즐거운 담임교사의 내용을 서술했다.

3부는 교사의 학교 일상에 대한 학교생활 경험이다. 기술 교사의 경험과 수업 계획, 수행 준비 과정, 과정중심 평가 방법 등 다양한 사례를 제시했다. 기술 교사는 학교에서 중추적인 업무를 담당하는 경우가 많다. 방송, NEIS, 학생 관련 업무 등을 대부분 담당한다.

4부는 교사 경험으로 바라본 세상을 그려본다. 행복한 교사의 일과 삶의 균형에 대한 교육실천가 되는 미래상에 대하여 제시했다.

이 책은 기술 교사의 경험과 사례를 실었다. 기술 교사로서 연구하고 가르치는 방법을 찾아 즐기며 행복한 학교생활 하시길 바란다. 중학교 수석교사가 학교에서 일어나는 학교의 일상 경험을 다양하게 표현했다. 가르침과 배움을 게을리하지 말아야 하고, 이를 지속하는 게 교사의 삶이다.

교사는 학교에서 최선을 다하고 잠시나마 여유를 가지고 재충전을 할 수 있는 시간이 휴일과 방학이다. 행복한 교사의 휴식과 여행, 힐링하는 생활은 자신의 가치를 찾으며, 교육의 질을 높여준다. 교사는 현재의 희생과 봉사로, 미래의 희망인 학생을 가르치는 업(業)이다. 수업과 교수·학습과정 진행한 구체적인 체험사례는 다음 출판하는 책에서 제시한다.

이 책의 내용은 교육자로서 실천하는 기술 교사의 다양한 경험을 나열하고, 전문성 신장으로 나아갈 길을 알려주고자 담았다.

교사의 일상은 수업의 연속이다. 하루, 일주일, 한 달, 일년, 수십 년 교직 생애 기간 내내 반복하는 삶이다. 학교에서 학생과 함께 즐겁고 행복한 교사 되길 소망하며, 교육 현장에 크게 기여할 수 있기를 바라며, 이 글을 바칩니다.

고맙습니다. 감사합니다. 사랑합니다.

2023. 8. 상상 그 이상

강신진

차례

1부
행복한 교육실천가의 배움 이야기

2부

즐거운 담임교사 아름다운 이야기

3부

신나는 기술교사 신바람 이야기

4부

삶을 행함으로, 미래를 여는 교육실천가

기본이 중요하다

기본이 바로 서야,
가정이 바로 서고,
가정이 바로 서면,
학교가 바로 선다.

학교가 바로 서야,
사회가 바로 서고,
사회가 바로 서면,
국가가 바로 선다.

《내 마음의 시》 드림

1부.

행복한 교육실천가의
배움 이야기

교육 실천가

모르면 배우고,
앎은 삶이고,
삶은 앎을
행하는 것이다.

1. 행복한 교사는 무엇으로 사는가?

교사는 가르치는 스승이다.

배움에는 질서가 있고, 가르침에는 위계가 있어야 한다. 교사의 제자 사랑은 부모의 사랑과는 다르다. 미 성숙한 어린 학생을 가르친다는 건 인내와 기다림이다. 오늘 가르친다고 곧 깨닫는 게 아니다. 지금 뿌린 씨앗은 내일, 아니 미래 어느 날에 깨닫는 경우가 많다.

교사란 어떤 존재인가?

과거에는 '군사부일체(君師父一體)'라는 말로서 교사의 높은 사회적 역할에 대한 기대와 그에 따른 존경의 마음이 표현되었다. 요즘에 들어와서는 교사에 대한 사회적 인식이 낮아져서 아쉬움과 안타까움이 크다. 미래 교육의 여건과 환경이 걱정이다.

교육의 목적은 무엇일까?

교육은 올바른 인격 형성이 목적이요, 홍익인간의 이념을 교육한다고 할 수 있다. 요즘엔 전혀 그러하지 않고, 교육의 목적이 오로지 대학 입학인 것처럼 되었다. 교사의 삶은 학생을 가르치고자 학교에 출근한다. 교육이 진학이 아니라 진로를 개척하는 일이다. 무엇을 가르치냐고 묻는다면 대답이 궁금하다.

4차 산업혁명이 우리 교육에 위기이자 기회다.

교육부에서는 미래 인재교육을 위하여 정규 교과 내용에 스템(STEAM) 교육, 메이커(Maker)교육, 소프트웨어(SW)교육, 인공지능(AI)교육을 강조하고 있다. 현재는 2022 개정 교육과정을 추진하고 있으며, 2025년부터 중·고등학교는 개정되는 교육과정에 의해 교육이 시작된다.

교사는 사회인이고 직장인이며, 교육공무원이고 학교에서 '선생님'이라 불린다. 미성숙한 어린 학생들을 미래 민주시민으로 성장하도록 가르친다. 교과 내용도 이해시키며, 미래 인재가 되도록 지식과 기능, 태도를 함양하도록 가르친다.

교사가 학생을 가르치다 보면 지치고 힘들다. 누군가에게 기대고 싶을 때도 있다. 이럴 땐 교사 혼자 고민하지 말자. 힘든 수업에서 벗어나는 방법이 있다. 수업 친구, 같은 학년 교사, 전문적 학습공동체와 함께한다.

"혼자 가면 빨리 가지만 함께하면 멀리 간다"라는 말이 있다. 교직 초임부터 퇴직까지 30~40여 년 해야 한다. 매우 길다. 함께 협력 하는 수업 문화를 위해 모이자. 같이 하면 가치가 매우 크다. 내가 소통하고 협력하면, 고통 해결에 힘이 생기고, 더욱더 성장하고 성숙한 교사가 된다. 이를 행하는 삶이 교육실천가이다.

1부 행복한 교육실천가 일상

교사의 일상에서 행복한 학교생활과 전문적인 역량을 함양하는 방법을 안내한다. 교사가 행복한 학교를 만들려면 함께 하는 게 제일이다. 지금까지 교사 다양한 경험을 해 봐서 안다. 학생 맞춤형 수업도 함께할 때 더욱 내실화를 이룰 수 있다.

영국 출신의 경제학자의 아버지라 불리는 애덤 스미스는 "한 나라의 진정한 부의 원천은 그 나라 국민들의 창의적 상상력에 있다"라고 언급했다. 창의적 성향의 인재로 키우려면 다양한 경험의 기회를 많이 주는 것이다. 많이 보고, 묻고, 듣고, 만들고, 체험해야 한다. 어릴 때부터 다양한 자극을 줘야 성장하면서 새로운 경험을 할 수 있다. 흥미를 끌 수 있는 다양한 경험과 재미를 느끼는 만들기를 접할 수 있는 메이커 활동 기회를 많이 주는 교육이 필요하다.

교육은 백년지대계(教育 百年之大計)라고 한다. 국가와 사회발전의 근본이기 때문에 백 년 앞을 내다보는 큰 계획이라는 뜻이다. 미래를 내다보는 교육을 하라는 의미지만, 지금 당장 걱정이 많다.

미래사회는 어떻게 될까?

미래는 어떤 인재가 필요할까?

미래는 어떤 인재가 인정받게 될까?

미래 학생들의 역량은 어떻게 기를 수 있을까?

교직원에겐 임무가 있다.

초 · 중등교육법 제20조(교직원의 임무)

초·중등교육법의 제20조 교직원의 임무를 살펴보자. 교직원의 임무는 다음과 같다.

초 · 중등교육법의 제20조[1]

①항 "교장은 교무를 통할(統轄)하고, 소속 교직원을 지도·감독하며, 학생을 교육한다."

②항 "교감은 교장을 보좌하여 교무를 관리하고 학생을 교육하며, 교장이 부득이한 사유로 직무를 수행할 수 없을 때는 교장의 직무 대행한다. 다만, 교감이 없는 학교에서는 교장이 미리 지명한 교사가 교장의 직무를 대행한다."

③항 "수석교사는 교사의 교수·연구 활동을 지원하며, 학생을 교육한다."

④항 "교사는 법령에서 정하는 바에 따라 학생을 교육한다."

⑤항 "행정직원 등 직원은 법령에서 정하는 바에 따라 학교의 행정사무와 그 밖의 사무를 담당한다."라고 기록되었다.

---

1) 1) [출처] 국가법령정보센터, 초 · 중등교육법
https://www.law.go.kr

배워서 남 주는 삶이다.

초·중등교육법의 제20조 ④항 "교사는 법령에서 정하는 바에 따라 학생을 교육한다."이다.

교사(敎師)란 '학생을 직접 지도.교육하는 자'를 말한다.

교사는 학생들을 가르치는 사람이다. 교사의 주 업무는 수업이다. 교사는 수업이 생명이라고 한다. 수업 시간 학생의 가능성을 찾아주고 개발하고 성장시키는 일을 한다. 교사는 수업에 대한 고민을 늘 한다. 수업은 교학상장(敎學相長)이요, 역지사지(易地思之) 마음이다.

교사의 임무는 학생을 올바르게 가르치는 것이다. 교사의 삶은 학생을 가르치는 삶이다. 가르치는 삶은 곧 배움이다. 학교에서 교사의 역할은 수업과 학생 생활교육, 교무행정업무를 한다. 교사의 역할 중 가장 핵심적인 일은 수업이다. 수업은 지식과 역량을 가르치고 평가하는 일이다. 생활교육은 사회생활을 건전하게 하도록 올바른 인격과 태도로 임하게 도와주는 것이다.

그렇다면 학생의 임무는 무엇일까?

학생은 의무를 잘 수행할까?

교육기본법 제2장 교육당사자에 관련한 교육기본법 제12조(학습자)이다.

교육기본법 제2장

제12조(학습자)

① 학생을 포함한 학습자의 기본적 인권은 학교 교육 또는 평생교육의 과정에서 존중되고 보호된다.

② 교육내용·교육 방법·교재 및 교육시설은 학습자의 인격을 존중하고 개성을 중시하여 학습자의 능력이 최대한으로 발휘될 수 있도록 마련되어야 한다.

③ 학생은 학습자로서의 윤리 의식을 확립하고, 학교의 규칙을 준수하여야 하며, 교원의 교육·연구 활동을 방해하거나 학내의 질서를 문란하게 하여서는 아니 된다.

학생은 교육기본법 잘 지켜야 하는데, 지키지 않는 경우가 매우 많다. 그렇다면 국가에서 학생에게 권리와 의무를 지키도록 하는 법이 있어야 한다. 교사는 잘 가르치고 싶다. 우리나라 학교에서 일어나는 고질적인 문제도 해결 못 하는 시대가 되었다. 어떻게 해야 할까?

법은 왜 있고 누구를 위한 법인가?

세상에 이런 법이!

우리 헌법이 교육의 자주성, 전문성, 정치적 중립성을 보장받도록 하고 있다. 그렇지만 교사는 교육의 주체로 살아본 적이 있었는지 기억이 없다. 교육에서 기쁨과 즐거움, 분노와 슬픔을 간직한 채 무너진 교사의 인권을 존중해주길 바랄 뿐이다. 교사의 인격은 교사의 생존권이자 미래의 국격이다.

탈무드에는 "누가 가장 똑똑한 사람인가? 모든 경우, 모든 사물에서 무엇인가를 배울 줄 아는 사람이 똑똑한 사람이다." 라고 강조한다. 교사 삶은 배워서 남 주는 삶이다. 연수를 이수하고 배우며, 교학상장을 실천한다. 평생 배워서 남 주고자 노력하고 실천하고 있건만, 현재 내가 처한 상황은 답답하다.

교사는 수업과 교무(校務)업무, 담임 등 생활지도를 담당한다. 학생을 평가하고 학교생활의 내용을 학교생활기록부에 기록한다. 매 학기 학생을 관찰하고 작성하느라 늘 바쁘다.

교사들은 여러 가지 어려움을 겪고 있다. 나 또한 학부모나 학생에게 상처받는 일이 한 두 가지일까? 교사 경력만큼 상처도 쌓여있다. 교사의 삶을 되돌아보며 경험을 제공하는 것은 중요한 일일 것으로 생각하여 이 글을 작성했다.

2. Teacher는 교학상장(敎學相長)이다.

교사의 삶은 '희노애락(喜怒哀樂)'의 반복이다.

교사는 학교생활 속에서 느낄 수 있는 감정 기복이 매우 심하다. 수업 시간 기쁨과 화가 교차하며, 슬프고 즐거운 일이 반복된다. 가르치며 변화하는 학생들의 모습을 통해 기쁨을 느끼지만, 가르침에 참여하지 않고 불응하거나 무시당하면 화가 나며, 인내하느라 힘들다.

괴테가 말하기를 "유능한 사람은 언제나 배우는 사람인 것이다."라고 말했다. 늘 공부하고 배워야 한다는 말이다. 교사의 교실 수업 개선 방법은 도전이다. 수업은 상호작용이다. 수업 시간 서로 참여를 잘해야 한다는 의미다. 교사의 수업 개선에 대한 의지는 학생들과의 협력을 이끌어 공감과 관계 맺기를 잘해야 한다.

좋은 수업의 비법은 딱히 한마디로 없다. 여러 가지 수업 방법 중 기술 수업 어떻게 할지 늘 고민한다. 그동안 실습을 많이 하려고 학생 활동 중심수업 즉 프로젝트 수업을 연구하고 적용해 시행착오를 줄이려고 노력했다.

공부하는 일은 소중한 일이다.

기술 관련 연수는 대부분 신청해 참여했다. 배워서 수업에 적용하며, 궁리하고 조금씩 바꿔서 실습을 다양하게 했다. 학교 현장에서 학생들이 중심이 되는 수업을 만들기 위해 새로운 아이디어를 얻고 실천하려고 노력했다. 최근 인공지능과 디지털 에듀테크 도입으로 교실 수업 개선을 위한 노력도 한다. 아직도 열정이 식지 않고 남았기에 다행이다.

교사는 지식을 가르치며 학생의 삶을 변화시키는 지도자며 변환자이다. 미래 교육을 선도하는 활동을 하기 쉽지 않다. 교사의 사명이 학생과 소통하고 공감하면서 잠재적 역량을 끌어내는 역할이다. 교실 수업은 학생들의 삶으로 연결하고자 궁리하고 있다. 실습과 체험으로 실천 역량을 높일 수 있도록 교실 수업을 개선하려고 노력한다. 다만 미래 진로 개척에 도움이 되도록 교육과정을 재구성하기가 쉬운 것은 아니다.

샤를 드골은 "할 수 있다고 믿는 사람은 그렇게 되고, 할 수 없다고 믿는 사람도 역시 그렇게 된다."라고 했다. 우선은 교사인 내가 나를 사랑하는 일이다. 항상 자신을 믿고 사랑하고, 나를 격려하며 지내고 있다. 지금 "이 정도면 충분해"라고 생각하며 지내고, 꾸준히 연구하고 지내지만 늘 걱정이다.

무엇을 어떻게 해야 할 것인가?

왜 그럴까?

학생들은 가르치다보면 잘하는 학생도 있지만, 잘못하는 학생도 있게 마련이다. 미 성숙한 학생이니 당연한 현상이다. 학생에겐 격려와 지지가 자존감을 향상하게 한다. 칭찬하는 습관으로 피그말리온의 효과를 바라자. 칭찬과 격려로 수업 참여도를 높이고, 교육 효과를 극대화하기를 기대한다.

교사는 학생들에게 반복적인 말을 많이 하게 된다. 일종의 잔소리다. 이 말은 했던 얘기 또 하고, 자꾸 하고, 계속하는 삶이다. 말을 잘 듣지 않고 행동하니 걱정만 한다.

수업 시간 학생들에게는 어떻게 할까?

신규 선생님들이 다른 학교로 수업을 참관하러 가고 싶어도 시간표 바꾸기가 쉽지만은 않다. 동료 교사나 선배 교사들에게 미안하기도 하고, 의무 사항이 아니라 참관을 안 해도 되기 때문이다. 수업 침관이 녹록하지 않은 상황에서 신규교사의 연수에는 수업 경험이 많은 수석교사가 해야 할 역할이 많다. 교사는 상호 수업코칭과 수업나눔의 기회가 적다. 수업나눔의 필요성은 교실 수업의 본질을 찾고, 학생과 교사가 행복한 수업을 만들어가기 위함이다. 교사는 상호작용이며, 교사와 교사, 교사와 학생 역지사지 관계이다.

사마광은 "경서(經書)를 가르치는 스승은 만나기 쉬우나, 사람을 인도하는 스승은 만나기 어렵다."라고 했다. 학교는 교사와 학생이 서로 가르치고 배우는 아름다운 곳이다. 경력 교사, 저 경력 교사 함께 배우는 학습공동체의 장이다. 저 경력 교사, 신규교사는 상호 간 배우니 얼마나 좋은가?

　수석교사의 역할은 저 경력 교사와 신규교사에게 교육(Teaching)과 상담(Coaching)을 적절하게 지원한다.

　공자는 "스스로 자신을 존경하면 다른 사람도 그대를 존경할 것이다." 존중하면 존중받는다는 원리다. 교사는 교학상장(敎學相長)이다. 상호 간 배우고 익히는 게 당연한 일이나 실천이 어려운 점도 있다. 인생에 관계된 모든 사람은 나에게 훌륭한 교사이다.

　교육은 줄탁동시(啐啄同時)다. '줄탁동시' 이 말은 어미 닭이 알을 품고 있다가 때가 되면 병아리가 안에서 껍질을 쪼게 되는데, 어느 한쪽의 힘이 아니라 동시에 일어나야만 세상 밖으로 새 생명이 나올 수 있다는 것이다.

　이는 세상은 혼자의 것이 아니라 자신의 삶과 타인의 관계 속에서 형성된다는 것을 깨닫게 해준다.

교사는 수업전문가이다.

교사는 전문직이라고들 하던데, 가르치는 전문가로 인정받기를 희망한다. 요즘 교사의 인권이 과거와 비교해 많이 떨어졌다. 사회의 교사에 대한 불신 나를 더욱더 힘들게 한다.

중·고등학교 교사는 배운 전공교과목을 가르친다. 그러나 교사는 미래 인재를 가르치는 것을 명심해야 한다. 교사 전문성을 가지고 교과 지식을 가르치는데, 지식을 전달하는 지식 전달자로 취급한다. 그러면 교사는 무엇을 가르치나?

지식을, 인격을, 가치를, 철학을….

교사의 전문적 역량이 뛰어나 교사 역할을 제대로 하려는데 현실은 어떠한가? 학교에서 수업 시간 열심히 가르치는데 학생들의 태도와 배움의 자세가 걱정이다. 교육전문가, 평가 전문가, 교육자로, 인정받고 싶다. 최근 교사는 알고 보니 진도 나가고 평가하는 지식 전달 노동자요, 가치와 현실을 오고 가는 정신 노동자요, 늘 서서 말하는 육체노동자이며, 마음을 헤아려야 하는 감정 노동자로 전락하였다.

교사는 전문가인가?, 전문 직업인가?, 그냥 Teacher인가?

이제는 생각해볼 문제가 많다.

교사는 가르치는 삶이다. 수업뿐만 아니라 미 성숙한 학생 생활 지도해야 한다. 담임으로 학급 운영과 학교생활기록부 작성을 학기별로 한다. 교사는 업무로 인해 바쁜 일상이다. 이 모든 게 변해야 하는데 변하지 않고 있다.

학교생활 기쁘고, 신나고, 행복할까?

수업 준비 힘들고, 공문처리 너무 힘들고, 학생 지도 진짜 힘들다. 힘든 것은 견딜 수 있으나 무시당하면 속상하다. 지금도 교사는 생각하며 가르치고, 말로 가르치고, 글로 가르치고, 행동으로 가르친다. 미소 짓고, 함께 웃으며, 즐겁게 지내고 싶은 게 교사다. 가끔은 마음 아프고, 괴롭고, 외롭다. 외롭고 괴로우니까 교사요, 교사는 한마디로 힘들다.

현재 상황이 어려워지고 있지만, 교육제도가 변해야 하며, 변하지 않으면 교사의 미래가 걱정될 뿐이다. 이상과 현실의 불일치를 마주하지만, 내가 변하면 모든 게 변화하기를 기대하며 도전해보자. 어떻게 할 도리가 없다.

"두려워 말라.", "이 또한 다 지나가리." 경험에 의하면 보람과 만족이 조금씩 가까이 온다. "끝까지 힘내시라." 격려하고 다시 강조한다.

"끝까지 힘내시라"

첫 발령은 설렘이다

발령을 축하합니다.

교사 첫 발령을 기다리고 기다리며 기쁜 마음 출근한 입학식 첫날부터 정신이 없다. 학급 담임, 수업, 생활지도 모두 첫 경험이다. 교사는 숙련 기간 없이 첫날부터 현장에서 즉시 업무를 본다. 다짐한 교사상 기대와 설렘이 한순간에 당황한다.

두근두근 "난 괜찮아" 잘해보자 다짐하고 각오하나 교생 실습 시의 경험과 신규교사 연수는 너무나 짧은 기간이로다. 교무실 환경, 교실, 교무업무, 학생들 모두 낯설다. 온종일 너무나 바쁜 학교생활에 혼란스럽다.

선배 교사에 질문하고 조언을 요청하니 이 또한 다 지나가리. 누구나 다 이렇게 지낸다. 매일, 매주, 매달, 매년, 반복하는 삶이요, 학생들과 함께 살면서 성장하는 인생이다. 본인 스스로가 성장했다는 느낌을 경험할 것이다. 교사의 일상이 즐거움과 만족을 주지 않지만, 당당해져라. 모두 바쁘다. 이제 시작이다. 따뜻한 선배 교사와 함께 지내길 기대한다.

교사는 갖추어야 할 사항이 많다.

학생을 가르치는 일상에서, 가르치는 분야에 대한 지식과 전문성, 직업으로서의 책임감, 교사로서의 사명감, 어린 학생을 가르쳐야 하는 사랑과 열정, 수업 시간의 융통성, 학생들을 대하는 측은지심, 인간관계…. "참으로 많구나."

"나는 완전한 인격체도 아닌데…."

우리 학교 동료 선생님 모두가 이러하니 다행이다. 고맙다.

교사의 삶은 반복이다.

교사는 변화하는 삶이요, 매년 다르게 시작하는 삶이다. 교사는 시작과 마침이 존재하는 삶이요, 신학기 입학과 졸업식이다. 늘 새롭게 시작하는 삶이며, 힘들고 고된 삶의 과정이다. 교사는 괴로움과 즐거움이 존재하는 삶이고, 세상에 이바지하는 삶이며, 인류에게 가치 있는 삶의 현장이다.

어린이 삶이란, 모르니까 어린이요 커가니까 청소년이다. 청소년 어디로 튈지 모른다. 청년 삶이란, 사랑과 낭만의 청춘이요, 교사의 삶이란, 가르치며 배우는 삶이다. 삶은 앎이요, 앎은 행하는 과정이다. 배워서 남 주는 게 교사의 삶이다. 앎은, 삶이고, 행함이다. 교사는 보람과 만족이 기다리는 삶이요, 자아실현하는 삶이며, 홍익인간의 삶이다.

교직은 성직(聖職)이다.

교사에게 부여된 소명(mission)은 학생을 제대로 잘 가르치는 것이다. 교사는 희로애락(喜怒哀樂, 기쁨, 노여움, 슬픔, 즐거움)의 생활이고 동분서주(東奔西走, 몹시 바쁘게 돌아다님)의 삶이다.

교사로서 보람찰 때도 있고, 그만두고 싶어질 정도로 자존심 심하게 상하기도 한다. 또한 교사는 학생, 학부모, 관리자와 관계가 힘들 때도 많다. 재직하고 있는 기간 인내하고 지내보면 교사로서 보람과 긍지를 느낄 때도 있다. 교사 생활에 만족감을 유지하려면 초심을 유지하며 열심히 하는 게 중요하다.

아리스토텔레스는 "행복한 생활은 덕에 의한 경우가 많다. 덕을 실천하는 사람, 덕을 생활 속에 베푸는 사람, 그런 사람에게 행복이 따른다. 행복해하고 싶거든 덕에 의한 생활을 해라"라고 했다. 학생을 가르치며 즐겁고 행복하길 바란다. 인생은 생각하는 대로 이루어진다. 덕을 나누고 쌓는 일이 교사의 삶이다. 교사는 가르치는 게 일이요 업이다. 가르치는 일은 사랑을 실천하고, 덕을 나누고, 덕을 쌓는 일이다.

나는 가르치는 덕후(德厚)인가?

모든 선생님은 고통, 괴로움, 외로움을 다 겪는다. 학교는 교사, 학생, 학부모들과 협력과 소통이 관계가 중요한 곳이다. 교사는 가르치면서 감사하는 마음도 중요하다. 감사는 일상의 스트레스를 이길 수 있는 활력소이며 보약이다.

오늘날 모든 직업은 세상에 이바지하는 가치 있는 직업이다. 세상 모든 직업은 다 천직(天職)이다. 특별하게도 교사는 정신적·육체적 노동을 하는 직업이지만, 성직관적인 신념과 열정을 지니고 생활하는 게 도리다. 교육의 본질을 잃지 않은 정신이다. 교사의 직업은 거룩한 일을 하는 천직이요, 성직인 것이다.

교직이 성직인 이유는 무엇일까?

어린 미성숙한 학생을 제대로 가르치려니 성스러운 것이다. 그뿐만 아니라, 교사라는 직업은 거룩하고 자랑스러운 직업이다. 국가의 미래를 준비하는 직업이다. 인격을 형성하는 미래 인재를 양성하고, 올바른 민주시민을 가르는 것이다.

교직은 천직(天職)을 넘어 거룩한 직업이다. 교직은 성직(聖職)과 같이 아름다운 것이다.

교직은 성직(聖職)이다.

학생에게 무엇을 가르치나?

교육은 기본에 충실해야 한다.

기본이 무너지면 전체가 위태로워질 수 있다. 기초가 무너지면 교육 전체가 무너지는 것은 당연한 논리이다.

교육의 본질적 가치를 추구할 수 있는 기본이 바로 서야, 학교가 바로 서는 것이다. 학교가 바로 서야 나라가 비로서는 길이다.

대한민국의 공교육기관인 유·초·중·고·대학은 「교육기본법」에 나타난 정신과 가치를 교육 목표에 반영하고 실천하도록 해야 한다.

교육은 "홍익인간(弘益人間)의 이념 아래 모든 국민으로 하여금 인격을 도야(陶冶)하고 자주적 생활 능력과 민주시민으로서 필요한 자질을 갖추게 함으로써 인간다운 삶을 영위하게 하고 민주국가의 발전과 인류공영(人類共榮)의 이상을 실현하는 데에 이바지하게 함을 목적으로 한다."이다.

우리나라 교육기관에서 국가와 함께 노력해야 한다.

교육기본법 제14조(교원)이다.

① 학교 교육에서 교원(敎員)의 전문성은 존중되며, 교원의 경제적·사회적 지위는 우대되고 그 신분은 보장된다.

② 교원은 교육자로서 갖추어야 할 품성과 자질을 향상하기 위하여 노력하여야 한다.

③ 교원은 교육자로서 지녀야 할 윤리 의식을 확립하고, 이를 바탕으로 학생에게 학습 윤리를 지도하고 지식을 습득하게 하며, 학생 개개인의 적성을 계발할 수 있도록 노력하여야 한다. 교육기본법 제14조(교원)의 내용이다. 교사의 자질과 의무를 제시했다. 이를 명심하고 노력하고 있다. 누가 알아주기를 바라지는 않지만 존중하고 존경한다면 바랄 게 없다.

교원(敎員)의 신분보장에 대하여

①항은 "학교 교육에서 전문성은 존중되며, 교원의 경제적·사회적 지위는 우대되고 그 신분은 보장된다."이다.

지금의 사회와 학교 상황은 어떠한가?

오늘날 교원은 존중받는가?

교사의 전문성이 존중되고 우대되고 있는지는 교원들만 안다. 존중을 바라지 않는 게 마음이 편하다. 오늘날 과연 교사의 전문성이 존중되는지 묻고 싶다.

"나는 가르치는 전문가이며, 교육실천가이다" 외친다.

사회적 측면에서 ②항에는 "교원은 교육자로서 갖추어야 할 품성과 자질을 향상하기 위하여 노력하여야 한다"이다.

건강한 국민의 삶을 살아가는 민주시민이고 교사 스스로 갖추어야 할 품성과 자질은 많다. 학교생활에서 겸손과 학생들에 대한 경청을 많이 필요로 한다. 학생을 이해하고 돕는 태도가 내면화되어야 한다. 상호존중과 배려가 몸에 배어서 내면화되길 행동하려고 노력해야 한다. 한 번 더 다짐한다. 과거를 돌아보면 올바른 언어의 사용과 복장, 학생을 대하는 눈빛과 용어가 점잖게 하지 못했다. 그때는 미성숙한 햇병아리 교사였다. 지난 시절을 다시 생각해보면 크게 반성한다. 이제는 말할 수 있다.

교원은 그 자체가 행복이다.

학교생활의 즐거움과 보람이 기다리는 일이다. 일부 교원은 사회적으로 손가락질받기도 한다. 교원 한 사람이 저지른 나쁜 짓으로 인해 그 사람의 속한 교원 단체의 이미지를 수치스럽게 만드는 경우가 가끔 발생한다. 속담으로는 '어물전 망신은 꼴뚜기가 다 시킨다'가 있다. 그렇다고 교원을 어물전으로 표현하는 것은 절대 아니다. 속담을 속담으로 이해해야 한다. 맑은 웅덩이에 미꾸라지 한 마리라 생각하면 된다. 교육자로서 지녀야 할 윤리 의식을 확립하고 모범적인 행동을 보여야 하는 게 교원이다.

③항에는 "교원은 교육자로서의 윤리 의식을 확립하고, 이를 바탕으로 학생에게 학습 윤리를 지도하고 지식을 습득하게 하며, 학생 개개인의 적성을 계발할 수 있도록 노력하여야 한다"이다.

③항을 실천하는 교원으로서 학생에게 학습 윤리를 지도하고 지식을 습득하게 하는 과정에서 문제점이 많이 발생한다. 학생들은 질서와 규칙을 어기는 경우가 많아지고 있다. 말로 윤리를 가르치고 있으나 듣지도 않고 실천하지도 않는다. 어찌하랴. 특별한 방도가 없다. 교사의 생활교육도 점점 힘들어지고 있다.

학생에게 기초적인 윤리는 잘 지키도록 가르친다. 다만 학생들이 실천하지 않고 지내는 모습을 보니 안타까울 따름이다. 학생이 수업을 듣지 않는다면, 교사는 속수무책이다. 교사의 인권 존중과 공경의 사회적인 풍토가 사라지고 있다. 공부 가르치는 일이 더욱 힘들다.

학생들의 학교생활 교육법이 필요한 시점이다. 규칙 준수를 강조하는 학교에서 제대로 교육하고 싶다. 정의를 세우는 일이 학교이어야 한다. 학생들의 인권과 교사의 인권이 상호 존중해주는 학교이길 바란다. 요즈음 사회 현상으로 보면 법은 이렇게 되어 있다지만 현재 학교의 상황은 거리가 멀다. 과거나 현재나 미래나 예와 질서, 규칙과 법은 정직한 사회의 근본이다.

3. 교육을 다시 생각한다.

교육을 다시 생각한다.

삶을 준비하는 게 교육이다. 교육은 따뜻한 마음이 제일이다. 내 마음은, 공감하는 내 마음, 인정하는 내 마음, 지지하는 내 마음, 격려하는 내 마음이다. 공감하고, 감동하고, 감탄하고, 감사한 일이다.

내 마음 어디로 가는가?

교육은 머리 쓰는 교육 이제 다 되어간다.
머리에서 마음까지 가는 교육이 제일이다.

거리가 너무 먼 걸까?
마음에서 행동으로 가는 교육 아직 멀었다.
"나 어떻게?",
"다 그런 거지 뭐하고 지나칠까?"
지금부터 시작이다.
인공지능 시대 교육은 무엇일까?
마음 쓰는 따뜻한 교육이 제일이다.

공부(工夫) 제대로 하자

공부란 무엇인가?

공부 왜 하지?

공부의 목적은 무엇인가?

어릴 때 공부는?

모르니까 알려고 공부한다. 호기심과 궁금증이다.

학창 시절 공부는?

상급학교 진학하려고 공부한다. 현재 하는 시험공부다.

커가면서 공부는?

직업을 선택하려고 공부한다. 생계유지를 위한 공부다.

지금의 공부는?

전문지식과 기술을 쌓으려고 공부한다.

이제부터 공부는?

정신적인 공부다. 인생 공부이다. 세상 공부이다.

사회 기여와 자아실현의 공부다.

오늘날 공부 목적은 단순하다.

학생들은 초·중·고등학교에서 대학에 진학하려고 공부한다. 진정한 공부는 이제 시작이다. 학생들이 학교만 다녀서 자기 계발을 할 수 있는 환경이 아니다. 학교는 최대의 효과를 바라며, 교육과정의 교육을 제공하는 곳이다.

공무원, 대기업 취직시험을 통과하기 위해 익히는 공부도 중요하다. 생계유지는 필수적인 삶이다. 삶에 관한 공부, 세상 공부의 시작이다. 금융 공부, 인생 공부, 노후를 위한 공부….

공부는 생각하는 힘을 기르는 사고력이 필요로 한다. 창의력과 문제 해결 능력, 자기 관리능력, 협력심, 인성, 체력도 필요하다. 이런 능력을 갖춘 자가 실력 있는 미래 인재이다.

공부 제대로 가르치고 있다. 배우는 자가 이런 사실을 모르고 시험 성적만을 생각하니 문제이다.

세상을 향하는 인생 공부가 진짜 공부이다. 내 능력을 사회에 기여하고 자아 실현하는 게 진짜 공부다.

뭣이 중한데

"윗물이 맑아야 아랫물이 맑다"라는 말이 있다.

윗사람이 잘해야 아랫사람도 잘하게 된다는 뜻이다. 부모가 모범을 보여야 자식도 효자 노릇을 하게 된다는 의미다. 가정과 학교, 사회에서 기본이 바로 서는 교육을 제대로 하길 바란다. 우리나라의 미래는 지금 가치관의 선택에 달려 있다. 교육에서는 학생들이 무엇을 가치 있게 배울까 걱정이다.

기본을 잘 가르치고 배우는 대한민국 교육을 희망한다.

기본을 잘 지키는 우리나라 힘내기를 바란다. 미래를 위하여 기초를 튼튼히 하는 교육, 기본을 지키는 교육을 제대로 해야 한다. 기본을 잘 지키는 것이 본질이고, 기본이 미래이다. 교육에 왕도는 없다. 그러나 교육에는 기본이 있다.

기본이 중요하다.

기본이 바로 서야, 가정이 바로 서고,

가정이 바로 서면, 학교가 바로 선다.

학교가 바로 서야, 사회가 바로 서고,

사회가 바로 서면, 국가가 바로 선다.

노인(Know 인(人)) 만만세

Bravo, Bravo, Your Life!

아프리카 속담에 '노인 한 사람이 죽으면 도서관 하나가 불타는 것과 같다.'라는 말이 있다. 노인의 경험 지혜는 도서관의 많은 책과 같은 가치를 지닌다는 뜻이다. 평범한 노인이라도 개인 인생의 역사다.

한 해 한 해 지내보면 나이를 먹는다는 것을 잊을 때가 많다. 나의 삶의 형태나 추구하는 목적이 학생들과 당연히 다르다. 가르치고 배우는 견해 차이로 삶의 비전과 가치는 다르나, 교사는 삶의 가치에 대한 정립이 필요하다.

학교는 학생들에게 장유유서(長幼有序)의 질서가 있음을 가르친다. 가정생활에서 어른들을 대하는 태도 경로효친(敬老孝親)을 강조한다. 노인은 인생의 지혜를 가진 사람이다. 현자(賢者)임을 느끼면 감사한 일이다. 어른 공경 의식에 청소년들의 버릇없음은 어느 시대에나 기성세대의 눈에 거슬리지만, 어른에 대한 태도와 가치관은 중요하다.

유대인 격언에 "늙은 사람은 자기가 두 번 다시 젊어질 수 없다는 것을 알고 있지만, 젊은이는 자기가 나이를 먹는다는 것을 잊고 있다."를 되새기게 된다. 누구나 노인이 된다. 노인이 가장 잘할 수 있는 일은 경험을 제공하는 것이다. 노인은 지식인이며 지혜로운 사람이다. 대한민국 노인천국을 기대한다. 노인은 후대에 지혜를 제공한다.

노인(老人)은 노인(勞人)이 아니다.

그냥 노인(Know인(人))이다. 경력 교사는 저 경력 교사에게 성장하는 어른이 되도록 안내해야 한다. 저 경력 교사도 학생들에겐 나이 많은 어른이고 노인(老人)이다. 신규교사도 학생들보다 나이가 많으니까 어른이고 노인(Know인(人))이다. 서로 사랑하고 사랑받고 사랑 나누는 노인(Know인(人))이 되길 희망한다.

우리나라의 모든 학교에 바른 삶을 실천하며 가르치는 노인(Know인(人))을 사랑하자. 행복한 노인(Know인(人))이 즐겁게 사는 나라가 천국이다. 노인은 도서관이다.

노인천국(Know 人 천국)

대한민국 노인 만만세!

대한민국의 교육기본법이다

대한민국의 교육기본법 제1장 목적과 교육이념을 살펴본다.

교육기본법 제1장 총칙

제1조 (목적)

이 법은 교육에 관한 국민의 권리·의무 및 국가·지방자치단체의 책임을 정하고 교육제도와 그 운영에 관한 기본적 사항을 규정함을 목적으로 한다.

제2조 (교육이념)

교육은 홍익인간(弘益人間)의 이념 아래 모든 국민으로 하여금 인격을 도야(陶冶)하고 자주적 생활 능력과 민주시민으로서 필요한 자질을 갖추게 함으로써 인간다운 삶을 영위하게 하고 민주국가의 발전과 인류공영(人類共榮)의 이상을 실현하는 데에 이바지하게 함을 목적으로 한다.

홍익인간은 "널리 인간 세상을 이롭게 하라."라는 개념이다.

모든 사람이 어우러져 더불어 행복하게 살아가는 뜻으로 해석된다. 교육의 목적이자 우리나라 교육의 이념이다. 교육기본법에 존재하는 교육이념 홍익인간(弘益人間)이다.

홍익인간은 우리나라의 정체성이다.

홍익인간 교육을 더욱 충실히 해야 한다고 외친다.

홍익인간은 우리나라 교육이념이며, 지구촌의 교육을 생각하는 세계평화 교육의 주춧돌이다.

나에게 홍익인간은 무엇인가?

아인슈타인은 말했다.

"교육의 목적은 인격의 형성에 있다. 교육의 목적은 기계적인 사람을 만드는 데 있지 않고 인간적인 사람을 만드는 데 있다. 또한 교육의 비결은 상호존중의 묘미를 알게 하는 데 있다. 일정한 틀에 짜인 교육은 유익하지 못하다. 창조적인 표현과 지식에 대한 기쁨을 깨우쳐주는 것이 교육자 최고의 기술이다."라고 했다.

오늘날 우리나라에서 생각해야 할 사항이다. 교육을 목적을 인격의 형성에 이바지하도록 하는 좋은 의미다.

교육(education)은 "인간의 가치를 높이는 과정 혹은 방법"의 의미가 있다. 교육의 본질을 잃지 않은 전인교육이 필요하다. 앎에 기쁨을 배움에 만족을 주는 게 교육이다. 나의 잠재 능력을 꺼내어 기르는 게 교육이다.

학교는 교육의 본질을 제대로 할 수 있을까?

학교는 교육기관이고 인격을 도야하고 홍익인간을 양성하는 기관이다. 교육의 이념은 이렇지만, 현재 학교는 보육 기관인 상황이 되었다. 가르치는 교사도 배우는 학생도 행복하지 못한 것이 현실이다. 가정과 학교에서 제대로 된 인성교육이 필요하다.

오늘날 인성교육은 어디에서 해야 할까?

교사는 그 자체로서 존중받아야 할 인간이다. 교사에게도 인권이 있으며, 교육을 제대로 할 권리가 있다.

교사가 가르치는데 간섭이 많으면 어떻게 되겠는가?

진정한 교육의 기본은 서로 신뢰하는 것이다. 우리 교육의 성공을 위해 매우 중요하고 필요한 일이다. 기본을 잘 지키도록 가르치고 배우는 대한민국 홍익인간 교육을 희망한다.

이제는 국민 모두 교육의 본질을 회복해야 한다.

누가 교육의 주체인가?

우리나라 교육제도에 대한 기본법이며 교육행정의 기본 지침이 되는 법률이 교육기본법이다.

교육기본법 제2장 교육당사자

제13조(보호자)
① 부모 등 보호자는 보호하는 자녀 또는 아동이 바른 인성을 가지고 건강하게 성장하도록 교육할 권리와 책임을 가진다.
② 부모 등 보호자는 보호하는 자녀 또는 아동의 교육에 관하여 학교에 의견을 제시할 수 있으며, 학교는 그 의견을 존중하여야 한다.

페스탈로치는 "가정은 도덕상의 학교다. 가정에서의 인성교육은 중요하다."라고 강조했다. 가정에서 부모가 자녀에게 행하는 행동의 중요성을 말한다. "세 살 버릇 여든까지 간다."라는 속담의 의미를 다시 생각하게 한다.

교육의 기본은 가정이다. 가정에서 자녀 교육과 부모의 교육에 대한 가치가 중요하다. 가정과 학교, 사회와 국가에서 기본이 바로 서는 교육을 시도해보자.

우리나라는 학생의 보호자가 보호자의 의무를 다하는가?

교육기본법 제2장 교육당사자

제12조(학습자)

① 학생을 포함한 학습자의 기본적 인권은 학교 교육 또는 평생교육의 과정에서 존중되고 보호된다.

② 교육내용·교육 방법·교재 및 교육시설은 학습자의 인격을 존중하고 개성을 중시하여 학습자의 능력이 최대한으로 발휘될 수 있도록 마련되어야 한다.

③ 학생은 학습자로서의 윤리 의식을 확립하고, 학교의 규칙을 준수하여야 하며, 교원의 교육·연구 활동을 방해하거나 학내의 질서를 문란하게 하여서는 아니 된다.

학생은 이 법을 잘 지켜야 하는 데 지키지 않는다.

어떻게 할까?

이런 법은 왜 존재하는가?

좋은 방법은 무엇일까?

학생은 학교의 규칙을 준수하여야 하는 것은 당연하다.

교원의 교육·연구 활동을 방해하거나 학내의 질서를 지켜야 한다. 과연 법대로 잘 지켜지고 있는가?

있으나 마나 한 법은 있는데, 있어야 할 법은 없다.

세상에 이런 법이~.

교원의 교육·연구 활동을 방해했을 때 교권 보호 준수나 제재가 현실과 동떨어져서 이러한 교권 침해 사례가 자주 뉴스에 올라오고 있다.

요즈음의 학교는 교육 구성원 간 서로의 차이가 너무나 커서 법 적용이 잘 안 되고 있어 안타까울 때도 있다. 교사가 정당한 교육활동에 무분별한 고발이나 고소를 당하는 데 법적인 대책이 없다. 학교에서 규칙을 지키며 다른 사람과 안전하게 지내는 습관이 안 된 학생이 많다. 수업 시간엔 생각지도 못한 일이 수두룩하게 벌어지는 교실 상황이다. 국가는 교권 침해를 넘어 다른 학생의 학습권까지도 침해하는 문제행동에 대해 대책이 필요하다. 교사의 인권이 보장되는 법과 제도가 제대로 시행되길 기대한다. 교사의 인격은 교사의 생존권이자 미래의 국격이다.

학교에서 학생 지도의 어려움 때문에 선생님들의 교육활동이 위축되면 누가 이익이 있겠는가?

교사는 지금도 수업하면서 외친다.

오늘도 무사히!

교육기본법 제2장 교육당사자

제14조(교원)
① 학교 교육에서 교원(敎員)의 전문성은 존중되며, 교원의 경제적·사회적 지위는 우대되고 그 신분은 보장된다.
② 교원은 교육자로서 갖추어야 할 품성과 자질을 향상시키기 위하여 노력하여야 한다.
③ 교원은 교육자로서 지녀야 할 윤리 의식을 확립하고, 이를 바탕으로 학생에게 학습 윤리를 지도하고 지식을 습득하게 하며, 학생 개개인의 적성을 계발할 수 있도록 노력하여야 한다. <개정 2021. 3. 23.>

법은 모든 사람에게, 모든 상황에서 적용되는 규범이다.

세상에 이런 법이 있네.

나 어떻게 할까?

정상적인 교육활동을 방해하면 어떻게 하란 말인가?

최근 교권이 추락하고 있다.

미성숙한 학생들과 일부 학부모는 무시는 기본이고 눈앞에서 욕을 하거나 교사에게 폭력을 행사한다. 교육에 관한 법이 있지만 제대로 된 '교사 보호법'이 없다. 그뿐만 아니라 교사의 인권을 존중시키는 법이 반드시 필요하다.

교사는 국가공무원이다. 교사로서 학생을 가르치고 있다. 누구나 잘 가르치고자 노력하고 있다.

미래 인재를 양성하는 교사에게 존중과 존경하는 사회가 바람직하지 않겠는가?

최근 학교 교육에서 '아동복지법, 아동 학대법' 관련하여 학생을 올바르게 교육하지 못한다면 문제 있는 법은 고쳐야 한다.

툭하면 신고하는 학부모의 학생에 대한 민원이 늘고 있다. 학생이나 학부모도 행동에 문제가 많다. 최근 학부모들이 교사의 정당한 학생 생활 지도에 불만을 품고 아동학대로 신고하는 경우가 많다. 정당한 교육활동을 하는 교사에겐 아동 학대법의 면책이 필요하다.

학교에서 제대로 교육을 할 수 있겠는가?

교육 관련법은 교사들의 권한을 축소하고, 책임감을 떨어뜨리는 경우가 많아지고 있다. 교사가 제대로 된 임무를 수행할 수 있도록 교사의 인권을 바로잡는 법이 제정되길 바란다.

나는

나의 스승들에게서

많은 것을 배웠다.

그리고

내가 못 많은 친구들에게서

더 많은 것을 배웠다.

그러나

내 제자들에게선

훨씬 더 많은 것을 배웠다.

- 탈무드 -

2부.

즐거운 담임교사의
아름다운 길

1. 첫 만남은 아름답다.

오늘은 입학식 날
입학을 축하합니다.

어서 와 학교는 처음이지?
다 잘될 거야

어서 와 교사 처음이지?
꽃길만 응원해

처음이라 설레고, 반갑고, 신비롭고, 신기하고,
새로움이다. 새 출발이다.

두려울까?
걱정일까?
설렐까?
모든 게 지금 시작이다.

입학식은 시작이다.

입학식은 만남의 시작이다. 담임교사 소개하고 교실로 간다. 첫출발이요, 반가움과 새로움의 시작이다. 설렘과 두려움은 새로운 신비로움이다. 새롭게 출발하는 길은 꽃길이길 소망한다. 걱정과 불안은 모두 사라지길 희망한다. 즐거움이 가득하기를, 기쁨이 넘쳐나길 소망한다. 학교에서 행복한 미래가 펼쳐지길 진심으로 바란다. 학생을 제대로 가르치는 게 교사의 업이다. 가르치는 업은 미래를 위해 소중한 일이다.

"시작이 반"이라는 속담이 있다. 시작이 중요하다는 의미다. 교사의 시작은 만남이고, 수업하는 삶의 시작이다.

채근담에 "쉬워 보이는 일도 해보면 어렵다. 못할 것 같은 일도 시작해 놓으면 이루어진다." 도전하고 시작하라는 의미고, 일을 시작하면 끝이 보인다는 뜻이다.

공부에 관한 사자성어이다.

공부를 열심히 하라는 의미로 종종 표현하고 있다. 고진감래(苦盡甘來)는 현재 괴로움을 다하면 즐거움이 온다는 뜻으로, 고생 끝에 낙이 온다는 경우에 많이 사용하는 말이다. 대기만성(大器晚成)은 큰 그릇은 나중에 만들어진다는 뜻으로, 꾸준하게 노력하면 시간이 지나 크게 이룬다는 뜻이다. 삶에 의미와 가치를 주며, 과거나 현재나 미래에도 변함없는 사실로 여긴다.

『논어(論語)의』 학이편(學而篇)에 공자(孔子)는

"學而時習之 不亦說乎(학이시습지 불역열호)"

"배우고 때때로 익히니 기쁘지 않겠는가?"의 글로 유명한 말이다. 배우고 익히는 학습의 즐거움을 표현하는 말이다.

어떻게 공부하였기에 기쁨을 얻는다는 것일까?

배움이 과연 즐거울까?

배우면 즐겁고 기쁠까?

가슴 뛰는 일, 하고 싶은 일은 무엇일까?

모르는 걸 알아가는 과정이 기쁘지 아니한가?

무엇인가 알아가는 과정에서 기쁨이 있는 건 사실이다. 이를 느끼는 게 학습이요 공부다. 공부가 모두 즐거운 것은 아니다. 호기심이 필요하다. 공부는 배우는 것이다. 배운다는 것은 공부하는 삶이다. 학교에서 배우는 교과 지식만이 공부가 아니다. 시험공부만이 공부가 아니다. 이 세상의 삶에 일어나는 모든 게 공부다. 이를 깨닫는 게 진짜 공부다.

2. 첫 수업 시간은 설렘이다

첫 수업은 설렘과 반가움, 두려움이 있다. 첫 수업 시간 긴장하는 건 당연하다. 해보지 않은 일이라 서툰 것이다. 처음엔 누구나 이런 경험을 한다. 두려움 극복의 좋은 방법이 질문이다. 왜? 어떻게? 질문을 하면 궁금함이 해결된다. 교실에선 서로 어색한 관계가 해결된다. 묻고 대화하는 게 좋은 수업의 시작이다. 이것저것 모든 것을 간단하게 질문해 본다.

어떻게 하지?
무슨 말부터 시작할까?
외치고 다짐한다. "나는 할 수 있다."

괴테는 "꿈을 품고 뭔가 할 수 있다면 그것을 시작하라. 새로운 일을 시작하는 용기 속에 당신의 천재성과 능력과 기적이 모두 숨어 있다."라고 했다. 새로운 시작은 내 꿈의 출발이다. 도전하고 노력하는 게 시작이고, 시작이 반이다. 교사의 일상은 배워서 남 주는 삶의 반복이다. 교사는 배우고 익히고, 가르치는 일을 평생 하는 업이다.

첫 수업 시간의 자세이다.

복장은 대체로 단정한 모습이 제일이다. 첫 수업 시간에는 간단한 내용을 소개한다. 예를 들면 자기 자랑, 수업 규칙과 질서 세우기 등이다. 첫 수업 시간에 교과 내용을 간단하게 소개하며, 차례와 수행평가도 안내한다.

왜 공부하는지?

공부는 어떻게 하는지?

평생 하는 게 공부라는 걸 알려준다.

담당 과목의 교과 역량, 핵심역량은 무엇인지 설명한다.

교사의 마음가짐이 중요하다.

첫 시간 5심이다. 처음처럼 초심은 열심히 하는 마음이다. 열심히 학생들과 함께하는 합심이다. 교사는 교육의 중심을 잡고, 단단한 각오로 임하는 Helper이다. 진심이 중요하다.

열정과 사랑이 교사의 무기이고 재산이다. 열정이 있으면 모든 게 다 잘될 것이다. 다시 강조한다. 늘 처음처럼.

사랑과 열정은 기본이다. 사랑이 많으면 관계가 좋아지고 즐거운 수업이 된다. 교사는 편안하게 즐겁게 임하는 게 첫 수업 시간이다. 이 모든 게 봉사이고 희생이라 힘들고 고되다. 세월이 흐르면 자부심이고, 인정받고 존중받고 보람과 만족이 기다린다.

첫 수업부터 설렘과 기대가 시작된다.

늘 노력하는 과정을 즐기고, 따뜻하게 시작하는 게 수업 시간이다. 첫 수업 시간부터 준비하고, 계획하고, 마주치고, 대화하는 시간이다. 교사의 수업 시간은 이런 것이다. 학교는 늘 만남의 연속이다. 여러 학급의 수업은 비교가 된다. 첫 시간 학생을 위하여 다짐한다. 학생의 모습은 있는 그대로 받아들인다. 교실의 학생들 초롱초롱한 눈빛, 반듯한 자세로 기다리는 표정을 보니 모든 게 궁금하다.

일반적인 대화의 경우엔 지켜야 할 세 가지 사항이다.

"한번 말하고, 두 번 들으면서, 세 번 맞장구친다."라는 것이다. 널리 알려진 대화의 법칙이지만 법칙대로 하기 쉽지 않은 게 대화다. 대화의 법칙은 널리 통용된다. 입은 하나요, 귀는 둘이요, 고개를 끄덕끄덕하는 게 법칙이다.

이렇게 하면 우선 분위기가 좋아지고, 인정받고, 공감받고, 의사소통 능력이 향상된다. 수업 시간에 적용하기 힘들 수 있다. 자신감을 가지고 당당하게 임하면 된다.

종소리 들리니 수업 준비하고 교실로 찾아간다. 서로 모르는 상태 걱정이고 기대된다.

"무슨 말을 하지?"

"나 이런 사람이야~ 너는 누구냐?"

2부 담임교사의 일상

수업은 알아가는 시간이다.

설레는 마음으로 들어가니 긴장하는 나의 모습~

나 지금 떨고 있니?

무엇을 준비하지?

어떻게 하지?

내 이야기~ 네 이야기 듣고 싶지 않을까?

질문하면 어떻게 하지?

크게 심호흡하고 외친다.

"안녕하세요. 반갑습니다."

첫 수업의 정답은 없다. TIP이다.

첫인사 하기. 내 이름 소개 및 삼행시 쓰기. 궁금한 것 있으면 질문하기. 교과서 차례 알아보기. 시험 평가 수행평가 안내하기. 수업 시간 규칙 지키기 작성하기. Q&A 시간이다.

기타 등등 자율적이며 계획적으로 진행한다.

교사의 수업 규칙과 요구사항을 안내하고, 함께 잘 지내자고 안내하고 부탁하고 요청한다.

3. 담임교사의 학교 일상이다.

담임교사의 일상은 바쁘다.

아침부터 학급 교실로 출발한다. 교실로 가는 발걸음은 가볍게 시작한다. 조회 시간 종 치기 전 미리 가서 학생들 살펴보는 게 시작이다. 학교생활의 근본을 제대로 가르쳐 주고 실천하도록 전하는 시간이다. 조회 시간은 담임교사 학생과의 관계를 잘 맺는 시간이다. 아침부터 질서와 규칙을 잘 지키지 않으면 화가 나기도 한다. 오늘 시작을 아름답고 행복하게 지내길 바라며 전하는 시간이다.

오늘은 모두 등교해서 앉아 있을까?

하루라도 결석하는 학생이 없으면 기분이 좋다. 조회 시간에 벌어지는 현상은 그때그때 다르다.

"오늘도 즐겁게 잘하자", "드르륵" 소리에 모두가 고개 돌려 쳐다본다. 내 마음에서 "또 늦게 왔어?" 한 마디 외친다.

눈빛은 측은지심이요, 지금이라도 오니 다행이다. 지켜야 할 내용 알려주고 대화한다. 아침부터 잔소리는 그만두자. 종례 시간에 하지 뭐. 오늘도 힘내자. 오늘도 무사히 잘하기를 바란다.

조·종례 시간은 학교생활 일상이다.

정해진 시간에 반드시 교실로 향하는 일관성이 매우 중요하다. 규칙적이면서 미소와 웃음으로 맞이하는 시간이다. 결석, 지각, 조퇴, 결과 규정 사항을 자세하게 안내한다.

담임교사의 열정과 사랑, 일관성을 유지하기 쉽지는 않다. 이 시간을 제대로 잘 지키기를 바란다. 지시하는 것이 아니라, 부탁하는 것이다. 인성교육은 요청하는 것이다. 학생과 상호작용하는 시간이다. 공감과 질문은 좋은 관계를 형성하는 방법이다.

조회 시간- 1분 명상은 '오늘도 열심히'
종례 시간- 1분 명상은 '오늘도 수고했어.'
청소 시간 – 역할 분담
매월- 생일 파티
매년 -학급 문고 제작하면 나중에 추억이 된다.

나도 지금 생각하면 의견 없이 시행했다. 학생들이 그땐 정말 좋으나 싫으나 진행해서 느낌은 잘 모른다. 다만 교사인 내가 이렇게 했다. 지금은 스스로 만족한다. 학급 문고나 학급 CD에 사진과 영상을 담아 주었는데, 지금은 어찌 되었는지 궁금하다. 당시엔 만들고 정리하느라 고생했다는 생각보다 마음은 뿌듯했다.

오늘도 반가워 외친다.

    학교 출석은 중·고등학교에선 내신 점수에 반영된다.

    담임교사는 매일 학교 출결 상황을 파악하고, 학부모 전화 확인 및 출결을 관리하여야 한다. 학교에서 담임교사가 제일 먼저 해야 할 일이다.

    학교에 일찍 오는 것은 습관이다.

    규칙적으로 생활하는 게 좋은 습관이라는 걸 학생들에게 안내한다. 출석 상황은 학교생활기록부에 기록한다. 출석이 인정되는 결석, 인정되지 않는 결석을 자세하게 알린다. 이유 없이 학교에 안 나온 경우는 무단이다. 학교 오기 싫은 것이다. 학교 나오기 싫다는데. 싫은 이유가 있을 것이다. 이유를 분석하고 대책을 세워야 한다.

    담임교사는 신경이 곤두서고 바쁘다. 진화하고, 며칠 안 나오면 가정방문 한다. 이유는 가지가지일 텐데. 집에 있으면 다행이다. 집이 싫거나 학교가 싫거나 가출하는 학생도 많다. 학생 출석은 중요하다.

    2부 담임교사의 일상

학교를 그만두는 학생이 점점 증가하고 있는 현재 상황이 걱정이다. 학교를 단지 나오기 싫은 건지, 배우는 내용이 재미없는 것인지. 학교가 너무 쉬워 배우는 데 시간 낭비로 생각하는 것인지 이유는 다양하다.

학교를 그만두는 위기 학생을 막기 위해 '학업중단숙려제'를 도입했다. 그래도 학업을 중단한 학생 수는 점점 증가하고 있다. 학업중단숙려제가 유명무실한 것인가 걱정이다.

출석은 학교생활 성실성의 표현이다. 무단결석은 상급학교 진학에 감점 요인이 된다. 줄 세우는 교육이 진학을 결정하기 때문이다.

학생이 '자퇴'한다고 하면 걱정이 앞선다.

자퇴(自退)는 초·중·고·대학교에 다니다가 학교를 그만두는 것이다. 자퇴는 질병이나 유학 가는 경우가 많은데, 고등학교의 자퇴 이유는 가지가지이다. 과거에는 학비가 없어 자퇴하였지만, 오늘날 학교를 중요하게 여기지 않는 경우가 있다. 어쩔 수 없는 자퇴는 학교의 존재 이유를 생각하게 한다.

학교는 공정하고 정의로운가?

학교는 대학 입학 준비 기관인가?

학교는 시험 보고 평가하는 기관인가?

학교는 무엇을 가르치는 곳인가?

초 · 중등교육법

초·중등교육법제27조의2(학력 인정 시험)

① 제2조에 따른 학교의 교육과정을 마치지 아니한 사람은 대통령령으로 정하는 시험에 합격하여초등학교·중학교또는 고등학교를 졸업한 사람과 동등한 학력을 인정받을 수 있다.

② 국가 또는 지방자치단체는 제1항에 따른 시험 중 초등학교와 중학교를 졸업한 사람과 동등한 학력이 인정되는 시험의 실시에 필요한 비용을 부담한다.

③ 초등학교·중학교 및 고등학교를 졸업한 사람과 동등한 학력이 인정되는 시험에 필요한 사항은 교육부령으로 정한다.

검정고시를 다시 생각한다.

현재 중학교까지는 의무교육 기관이다. 매년 검정고시를 통하여 중학교, 고등학교 졸업하는 경우가 많다. 검정고시는 정부가 정한 정규 교육과정(초, 중, 고등학교)을 이수하지 않거나 중간에 그만두었던 사람들이 정규 학교에 입학하여 정규 교육과정을 이수한 사람들과 동등한 학력을 인정받을 수 있도록 평가하는 시험 제도이다.[2]

---

2) 나무위키
https://namu.wiki/w/검정고시

초·중·고등학교를 다니지 못한 이들에게 학력을 인정해줘 상급학교에 진학할 수 있도록 하자는 것이다. 일반적으로는 학교 수업에 적응하지 못하거나 어쩔 수 없이 학교 교육을 받지 못한 경우가 대부분이다.

초·중·고등학교에서 사정상 졸업하지 못한 학생들이 몇몇 과목의 시험을 본 후에 초·중·고등학교의 졸업 자격을 얻는다. 이런 학생들이 검정고시를 통해 대학수학능력시험에 도전하고 있다. 교육부와 한국교육과정평가원에 따르면 이를 일부러 이용하는 경우도 있다. 요즘 의무교육하고 있지만 초·중·고 검정고시 인원수는 점점 늘어나고 있다. 이 또한 국가에서 인정한 교육 방법으로 교육과정을 이수하였으니 국가의 미래 인재다.

누구나 기다리는 점심시간

오늘도 기다리는 시간.

드디어 시작이다.

누구는 빨리 먹고, 누구는 늦게 먹고

잘못된 편식 습관으로

밥 먹기 싫은 학생, 밥맛 없다는 학생

모두 따로따로 짧은 점심시간 빨리도 흐른다.

올바른 식습관 형성이라는데

식생활 교육 시간이라는데

균형된 음식 제공이라는데

공동체 의식 함양 시간이라는데

협동 정신 함양이라는데

타인에 대한 배려시간이라는데

누군가는 빨리 먹기를 바라고

누군가는 천천히 가는 시간

친구들과 소통이 제일 활발한 시간

제일 좋은 시간이다.

2부 담임교사의 일상

종례 시간 신난다.

학교에서 하루 마감 시간인데,
교사는 하루의 생활을 성찰하자고 하고,
학생은 빨리 끝내 달라고 하고
짧은 종례 시간을 바란다.

학생은 신난다.
빨리 집에 가고 싶다. 학생이 담임을 기다리는 시간이다.
선생님 오늘따라 늦게 오지?

선생님은 고민한다. 종례 시간 길게 훈화하려고 한다.
하루의 의미 있는 반성 시간.
하루의 마감 시간은 즐겁지만 않다.
아름다운 추억이 가능할까?
늘어지는 종례 시간 누가 좋아할까?
종례 시간의 만족은 시간과 반비례한다.
짧을수록 좋단다.
오늘도 수고했어.
이상 끝.

학교 생활교육 어떻게 해야 하나

학교는 교사 학생이 생활하는 공간이다. 교사는 학교생활 규칙에 대하여 준수하라고 가르친다. 질서 지키기, 예절을 지키도록 하는 일, 규칙을 준수하는 일, 인권을 존중하는 일 등을 가르친다. 학생들은 잘하는 때도 있지만 대체로 제대로 지키지 않는 학생이 꼭 있게 마련이다. 내 삶 속에서 슬픔이나, 걱정을 느끼게 하는 원인 중 하나이다. 미 성숙한 학생이기 때문이라고 이해한다. 학생이 지키지 않는 이유가 궁금하다. 요즘엔 학생 생활지도가 너무나 힘들다.

과거 학생부에 소속되어 근무하던 시절이다. 근무할 당시는 1988년이다. 우리나라에서 '서울 올림픽'이 개최된 시절이다. 학생들의 머리 단속한다며 머리가 길면 머리 깎는 기계로 옆 부분 머리카락을 깎았던 기억이 난다. 교문에서 복장이 단정하지 못하면 기합 주고, 체벌이 일상이라 했던 일이 부끄러울 따름이다. 그땐 그렇게 하는 줄 알았고 누구도 뭐라고 하지 않던 시절이다. 지금 생각하면 잘못을 많이 했다. 미안하고 안타깝고 반성하고 그때 학생들은 이미 사회의 어른이 되었다.

미성숙한 학생들 타이르고 달래서 가르쳐야 하는데 걱정이다. 태도가 불량하여 훈계해야 하는데 "학생들 앞에서 혼내지 말라"고 한다. 전체 학생이 보지 않는 복도에서 해야겠다. 정도가 심하면 조용한 교무실로 데리고 가서 교육한다.

생활지도부에 가 있으라고 하면 도망갈까 불안하다. 심호흡하고 머리 식힌 다음에 차분하게 이야기해야겠다.

최근엔 학생이 규칙을 어기거나 정당한 지도에 아동학대라고 신고하면 교사는 속수무책이다. 무고한 신고로 발생하는 교원의 극심한 정신적 피해가 증가하고 있다. 피해를 호소할 곳도 없다. 혼자 삼키려니 고통이요. 무분별한 아동 학대법 문제가 너무 많다. 옆에 열심히 생활 지도하는 교사가 아동 학대법으로 신고되니 주변 교사들은 모두 학생 생활지도에 손을 놓게 된다. 학생들 생활 태도가 걱정되고, 이 지경이 된 상황이 안타깝다. 교사들은 극심한 정신적 피해를 호소하고 있다.

수업 시간 중에 문제 발생하면 누가 피해를 보는가?
아동학대라고 신고하면 다인가?
큰소리치지 않고 가르칠 수 있는가?
차근차근 가르치면 학생들이 제대로 듣는가?
수업하다 잘못하면 내버려 두는가?

학생이 문제 행동하면 재발 방지를 위해 따끔하게 훈육하면, "인권 침해?", "아동학대?" 세상에 어찌 이런 법이.

학생 학습권 보호해야 한다. 교사의 학칙에 따른 정당한 지도를 보장해 주어야 한다. 교사가 학교에서 행하는 정당한 생활지도는 마땅히 보호돼야 한다. 현재 교권 침해가 심각하다. 학교에서의 문제는 교권 침해가 아니라 한 교사의 인격 침해이다. 교사는 가르치는 행위를 하는데 책임을 면할 수 있는 조항이 필요하다.

생활지도 어떻게 해야 할까?

규칙 지키는 습관 지도 어떻게 해야 할까?

줄탁동시(啐啄同時) 한자의 의미를 다시 강조한다.

줄(啐)과 탁(啄)이 동시에 이루어진다는 뜻이다. 병아리가 알에서 나오기 위해서는 새끼와 어미 닭이 안팎에서 서로 쪼아야 한다는 뜻이다. 가장 이상적인 사제 간, 부모와 자녀 간에 서로 성장하는 데 잘해야 한다는 삶의 진리를 비유하는 말이다.

교육은 교학상장이요, 반면교사이다. 서로 배우는 것이요 서로 사랑하고 존중하는 것이다. 인격에 대한 교육은 사랑이다. 학생이 성장해가는 모습을 통해 기쁨을 느끼면 다행이다. 가정에서 학부모는 가정 교육이 오히려 더 시급한 상황이다.

2부 담임교사의 일상

궁금하면 물어보세요

매년 3월 초가 되면 담임교사는 걱정이 이만저만이 아니다. 학생이나 학부모 마찬가지이다. 학생은 부모의 사랑을 먹고, 무럭무럭 잘 자란다. 또한 교사의 지지와 격려로 성장하고 성숙해지는 게 학생이다. 교사나 부모, 교육 목표는 같다. 올바른 성장과 학력 향상일 것이다. 학력(學力)은 학력(學歷)이 아니다. 유·초·중·고등학교 마찬가지이다. 학생 스스로 배우는 능력이 중요하다. 교사는 옳다고 생각하는 것을 가르칠 수 있을 때 자존감을 느낀다. 담임은 학생의 학교생활에서 어려운 일을 도와주는 제2의 부모이다. 교사는 잘해야 본전이다. 교육도 하고 보육도 하는 게 현실이다.

학생 상담은 매우 중요하다. 현 상황 파악과 미래의 모습을 안내하고 진로 탐색 기회를 제공한다. 학생은 잘하는 부분도 있고 부족한 부분 있게 마련이다. 당연한 이야기인데 무엇을 알고 무엇을 모르는지, 잘 모르는 게 학생이다. 학생이 스스로 잘하면 좋지만 그런 학생은 많지 않다. 담임교사는 학습 습관과 꿈에 대하여 궁금한 게 많다.

담임교사의 미래 진로 상담은 분석이고, 진단이고, 미래를 위한 처방이다. 의사가 환자를 살펴보듯이 담임교사도 관찰하여 생활교육 하느라 바쁘다. 학생에겐 부모의 훈육이 우선이고, 학교는 상담하면서 공감과 경청, 격려와 지지이다.

학교생활 어떻게 하는지?
교우관계는 어떤지?
가정에서 어떻게 학습하는지?
특기나 취미는 무엇인지?

학생 상담 내용은 비밀을 유지하는 것이 매우 중요하다. 비밀이 유지되지 않으면 학생은 다시는 교사와 상담하지 않게 된다. 그러나 부모가 알아야 할 사항으로 판단되면 알려야 한다. 신입생은 잘 모르지만 2~3학년은 학교생활기록부에 세부 사항이 기록되어 있으니 읽어보는 방법도 좋다. 특히 개인정보에 민감한 사항은 주의하여 상담한다. 서로 존중해주는 태도가 필요하다.

3월 초 학생을 제대로 관찰하고 상담하여, 행복한 학교생활을 기대한다.

2부 담임교사의 일상

4. 학교 행사로 늘 바쁘다 바빠

과학의 달, 과학의 날

국가에서 정한 '과학의 날'. 매년 4월 21일 법정기념일 '과학의 날'이다. 과학기술의 중요성을 국민에게 인식시키고, 과학의 대중화를 촉진하기 위해 정해진 날이다.

우리나라 초·중·고등학교는 매년 4월이면 과학의 달 과학의 날 행사한다. 교육청에서는 과학의 날 행사를 권장한다. 국가의 기반을 든든히 하기 위해 과학의 달, 과학의 주간, 과학을 날을 운영한다. 각급 학교는 내부 결재를 통해 대대적으로 실시한다. 학생들은 교내대회 참여와 우수한 작품은 수상 기회를 얻는다.

학교에는 꼭 해야만 하는 행사가 참 많다,
체육대회, 과학의 날 행사 등….
3월 초부터 과학의 달, 과학의 날 행사. 과학 교사들이 재미있는 체험을 준비하느라 고생이 너무나 많다. 학교의 과학의 날 행사가 다양하다. 주제를 정해 전교생이 온종일 과학 행사가 진행된다.

과학의 달 행사에 초·중·고 교사들은 준비에 수고가 많다.

행사 기획, 재료 준비, 재료 보급, 과학의 날 행사가 미치면 수상자 선정 등 일이 쌓인다. 누가 쉽게 도와줄 수 있는 사항도 아니다. 수업 시간에 학생에게 잘하도록 격려할 뿐이다.

발명품을 구상하거나 상상화 그리기, 과학글짓기, 물로켓 만들기, 발명 만화나 캐릭터 그리기, 과학 놀이 체험, 천연소다 치약 만들기, 각종 실험, 과학 상자 만들기 등을 한다.

최근에는 VR 만들기 활동, 3D프린팅, 에어 로켓, 로봇 만들기, 카르라서 구조물 쌓기, 아치형 다리 만들기, 하늘을 나는 우주선 만들기, 자율주행 자동차 만들기, 코딩과 함께 로봇 댄스 등의 과학적 호기심을 끌어올릴 수 있는 다양한 행사를 한다.

과학기술의 중요성이 학교 행사로 그치는 게 아니라, 학교생활과 삶 속에서 연계되길 바란다. 학교 수업 속에서 과학기술의 중요성이 이어지길 기대한다.

학부모총회 실시한다

매년 3월 중순에는 학부모총회가 있다.

학부모는 설렘과 기대감으로 반기는 날이다. 우리나라의 학교에서 벌어지는 공식적인 학교 행사이다. 학교의 운영 계획 설명이라 해서 학부모님들은 온갖 일을 제쳐 놓고 학교에 온다. 학부모총회는 학교 교육과 교사에 높은 관심의 표현이다. 드디어 시작한다. 교사 소개, 담임교사 소개 및 학교 교육과정 소개와 학부모가 알아야 할 필수 연수도 시행한다.

학교운영위원회를 뽑고 학부모단체 회장 선출하는 날이다. 학부모회 구성이 수월하길 바랄 뿐이다. 학교 교육에 주인의식을 가지고 학부모의 의견수렴을 제대로 하는 공식적인 기구이다. 학부모와 소통과 공감의 실현을 기대한다. 학교 행사에 안전하고 건강하게 참여하길 희망한다.

학부모총회를 마치면 담임교사와 각 학급 교실에서 학생에 대하여 상담한다. 학부모는 학교생활이 궁금하다. 담임은 가정에서의 생활 태도가 궁금하다.

학생에 대해 잘 알지 못하기 때문에 학교 교사는 학부모 맞이에 엄청 신경 쓰인다.

학생 부모 누가 올까?

오면 무슨 얘기 할까?

환경은 어떤지?

성적은 어떤지?

가정에서의 교육환경은 어떤지?

궁금한 게 한둘이 아니다. 교사는 학부모에 학생 상담 준비를 한다. 공개모임이 끝난 후 반별 지정된 장소와 특별실에서 담임 선생님과의 상담 시간이다. 담임 선생님들은 학부모님과 진지한 상담을 한다.

새 학기 학부모총회는 담임교사의 첫 만남이다. 3월 초인데 학생을 제대로 알 수 없어도 부모와 상담한다. 정보 공유의 장이지만, 상담 시간이 부족하다. 학생 수도 많지만, 학부모 수도 많아 인사만 하는 정도이다. 다음 기회에 오셔서 상담을 권장하고 안내한다. 퇴근 이후에 학부모 상담 시간이 길어지고 있다. 학생의 바른 성장과 발전을 기대하며. 학부모총회 날은 지나간다. 학부모총회를 마친다. 오늘은 왠지 후련하다.

2부 담임교사의 일상

우리 학급에 '교생'이 나타났다

　교육실습생 목적은, 대학교에서 배운 이론에 교직 경험을 제공하고, 교직 기술의 습득 기회를 제공하는 데 있다. 그리고 교직자 정신 확립을 도와주며, 자기 자신에 대해 이해할 수 있는 시간이다.

　교육 실습은 교사의 체험이다.

　교사의 자세와 태도의 중요성을 강조한다. 의무 사항으로 전한다. 교사의 태도를 갖추고, 기쁜 마음으로 학생을 대하도록 한다. 단정하고 올바른 자세를 가져야 하며, 학생들에겐 친절하고 품위가 있어야 한다. 소박하고 깨끗한 옷차림을 가져야 한다. 교생의 태도는 공손하고 다정한 인사성 밝게 지내며, 단정한 복장, 명찰의 바른 달기, 실내화 사용해야 한다. 수업에 지장을 주지 않는 복장 열정과 성실성을 가져야 하며, 상호 간 존중하는 태도를 보여야 한다. 갑자기 자유로운 대학생에서 모범적인 신이 되는 모습이다. 교육실습생의 4주 기간은, 배워야 할 일을 많은데 배울 시간은 너무나 짧다.

교직원에게 인사를 친절하게 하고, 교과 지도 교사의 업무와 학급 담임교사의 업무를 관찰하고 기록한다. 행정 부서의 업무도 파악한다. 학교에 적응이 되어 가면 교과 지도 교사 교과 수업 시간에 참관한다. 수업 기술과 배움이 일어나는 지점이 어디 인지 선배 교사의 비법을 배운다.

학급 담임교사 체험에서 학급 학생 활동 관찰로 시작하여, 점심시간, 청소 시간 지도, 학교 업무 파악, 교수 학습 지도안 작성 준비에 정신이 없다.

학생 맞이 안전교육으로 아침 교문지도, 점심시간 급식 지도, 하교 지도까지 하루가 빠르게 지나간다. 4주 차에는 공개 수업 실시하느라 미리미리 준비해야 하고, 공개수업 후의 수업 나눔을 한다. 교육실습생을 지도하는 선생님들 업무는 늘어났지만, 교직에 뜻을 두고 있는 예비 교사 후보들에게 온 정성을 다해서 지도한다.

교생 실습에 대해 평가회를 하고 마무리하는 자리에서 교육 실습생들은 "다양한 경험을 해서 앞으로 교직 생활을 하게 되면 많은 도움이 될 것이라고" 소감을 이야기한다.

　　　　　2부 담임교사의 일상

지혜로운 삶을 위하여

학생에게 지혜로운 삶을 바라며 권장한다.

책의 핵심 내용을 잘 읽어보자, 수업 시간 설명을 잘 들어보자, 나의 주장과 생각을 잘 말해보자, 모르는 내용을 잘 질문해 보자, 알고 싶은 사항 검색을 잘 찾아보자, 아는 내용 그림을 잘 표현해 보자, 도표와 그림 의미를 잘 살펴보자,

생활용품을 잘 만들어 보자, 깨달음과 소감을 잘 써보자, 이 세상을 잘 알아보자, 제대로 이 모든 것을 잘 도전하자.

시험 보는 날.

오늘은 시험 보는 날 드디어 시작이다. 교사는 문제 나누어 주고, 학생은 시험문제 풀고 있다. 알면 좋은 일이요, 기쁜 일이요, 만족하는 일이다. 모르면 답답하고, 고민되고 걱정되는 것이다. 혹시나 하는 마음으로 반기는 곳에 표시한다.

객관식 시험이 객관적인가?

교사는 가르치고 문항 출제를 신중히 하는데, 학생은 쉽기를 기대하나 긴가민가 오락가락하네. 이런 시험 언제까지 해야 하나?

오늘도 수고했어. 오늘도 감사히 마친다.

건강한 신체에 건전한 정신이 깃든다

체육대회 우승이다.

학급 티는 어떻게 하지?

색상, 모양 고르느라 한 시간. 선수 뽑느라 한 시간, 응원가 선정하느라 한 시간. 이리저리 시간은 흐른다.

운동은 스트레스 해소 건강에 유익하다. 체육대회, 운동회 날 과거는 주로 구기종목을 했다. 학급 대항 경기 위주였고 예선전을 치르느라 수업 시간 연습을 자주 한다.

최근엔 다양한 체육 행사를 한다.

체육대회 목적이 학급 단합대회나 마찬가지이다. 교육과정에서 매년 중요한 학사 일정으로 생각하고 실행한다. 체육대회를 위해 체육 시간 및 학교 스포츠 시간에 열심히 연습한다. 체육은 신체적 발달과 학생들의 인성에 도움을 준다. 협동과 단결 사회성 발달에 큰 역할을 기대한다. 이름은 체육대회지만 학급 학생들은 반 티를 입고 협동 단결을 과시한다.

안전이 제일이다.

다시 한번 더 강조한다. 안전이 제일이다.

현장 체험학습과 수학여행 떠나보자

수학여행의 '수학' 의미를 알아보자.

수학(數學) 시간이 아니다. 수학(修學)이다. 수학의 뜻이 다르다. 계산하는 산수의 수학 시간이 아니라, 학문을 갈고닦는다는 의미다.

체험학습의 날이다.

교실을 떠나 학교 밖 마을이나 지역을 관찰하고 체험하는 것이다. 체험학습은 수업을 삶의 현장에서 연계하는 시간이다. 교실 수업 내용을 확인하거나 체험할 수 있는 학습이다. 수업을 실생활에 적용하게 하는 것이다. 체험학습이 인성도 함양하기를 기대한다. 이론 중심학습에서 경험 중심학습의 균형이다. 교실 밖에서 이루어지는 학습으로 현장답사 및 탐구 학습이지만, 하루 스트레스 해소의 날로 인식되고 있다. 요즘엔 주로 스트레스 해소하기 딱 좋은 놀이공원으로 향한다.

과거에는 비용이 많이 들어서 못 간 경우가 많았는데, 요즘에는 교육청에서 국가의 세금으로 전액을 지원해준다. 학생들은 온종일 놀이와 함께 스트레스를 해소하는 것이다.

모두 원하는 현장 체험학습이지만 실제로는 놀이기구 타기 등 다양하게 운영되고 있다. 놀이도 교육이다. 스트레스 해소 교육이다. 좋아하는 학생 많지만 그러하지 않은 학생도 있다.

성격에 따라, 가정환경에 따라, 체력에 따라, 경험에 따라 다르다. 초임 시절엔 수학여행이 그립고 마냥 좋았는데….

이제는 학생을 보호하고 돌보고 관리하기가 체력적으로 고되다. 무슨 일이 생기면 책임을 져야 한다. 안전이 제일이다.

수학여행 이제는 학교급별로 선택하여 원하는 장소를 정한다. 국내 유적지와 관광지가 대세지만 해외로 다니기도 한다.

모두 신난다.

국가에서 비용을 모두 지원한다. 학생에겐 지원인데 일부 학생들은 함께 하고 싶지 않거나, 숙박하지 않으려고 가지 않으니 문제가 생긴다.

학교는 모두 사용하느라 바쁘다.

이제는 전국 학교의 수련회와 수학여행이 어떻게 될까?

2부 담임교사의 일상

학부모 공개수업의 날

　학교는 학부모 공개수업을 한다.

　학부모 공개수업의 목적이다. 학부모에게 수업을 공개하여 공교육 교실 수업의 특수성을 이해시키는 것이다. 학부모로서 가정에서의 학습 지원 역할을 파악하게 하는 것이다. 그럴 뿐만 아니라 가정에서 학생을 지원해줄 수 있는 여건을 마련하도록 하는 것이다. 하지만 아쉽게도 학교 와서 그냥 수입 참관하고 "잘하네", "못하네", "과거보다 시설이 좋아졌네", "학생 수가 많이 줄었네." 하면서 단순하게 보고 끝이다.

　무슨 효과가 있겠는가?

　학생의 학습 습관은 어떠하며, 가정에서의 교육 환경과 교육철학을 학부모와 공유하면서 교육에 효과를 기대한다. 학생과 교사가 함께 성장하고 교육이 발전하는 것이 학부모 공개수업이다. 앞으로 그렇게 되기를 기대한다. 학교는 학생의 교육과 보육 복지를 위해 노력하고 있다. 교사의 수업에 대한 열정과 자질을 인정해 주어야 한다.

학부모는 학교 정책이나 수업과 관련하여 선생님들께 지지와 격려를 제공하길 기대한다. 단지 와서 공개수업 한번 보고 수업 참관론 제출하면 그게 끝인데 학부모 공개수업 왜 하는지 다시 한번 생각해봐야 한다.

학부모가 참관하면서 수업을 제대로 분석하고, 수업 내용과 교육과정을 제대로 아는지도 묻고 싶다. 가끔 수업 분석을 제대로 하시는 분도 있다. 하지만 대부분 수업 참관 한 번으로 교사를 평가하기도 한다. 학부모 수업 참관하는 방법 교육이 필요하다. 교사 평가 문제가 많다. "교원평가 폐지가 답이다." 외친다.

참관 교사의 입장이다.

수업 시간에 학생이 배움 활동을 잘하는지 관찰한다. 또한 학습 목표를 알고 배우고 있는지, 학생 수준에 맞는 개별학습이 잘 이루어지고 있는지 살펴본다. 교사와 학생 모두의 상태를 살핀다. 교사와 학생의 상호작용이 잘 이루어지는지, 학생의 수준과 교과의 내용은 적절한지, 제시하는 학습자료는 무엇인지, 학생 누가 활동에 참여하고 안 하는지, 형성평가는 자연스럽게 이루어지며 평가 결과를 학습 활동에 피드백하는지 등을 살펴본다. 솔직하게 말하면 한 시간 동안 수업 참관하면 관찰하고 기록하고 질문거리 작성하느라 수고가 많다.

수업은 준비하는 게 수업의 완성도이다.

다만 학생의 의지가 중요하다. 수업 참관은 수업을 배우는 좋은 기회이다. 신경이 곤두선다고나 할까. 참관 후의 상호정보 교류할 이야깃거리를 찾아야 하기 때문이다. 신경 안 쓰고 수업 시간 지나가기를 바라며 참관하면 한 시간 지루하기도 하다.

수업 참관의 분위기는 학교 교원 구성원의 성별, 경력별 상황이 다르다. 공개수업은 교과별로 참관하고, 신규교사는 의무 참여하게 하고, 저 경력 교사는 참관 권장, 전 교사에게 희망 참관을 홍보한다. 학교 분위기에 따라 참관 인원은 다르다.

수업 참관은 교수 능력 파악과 수업 준비, 수업 실행과 문제행동 예방 및 지도, 생활 습관 및 인성교육 내용도 살펴본다. 수업 관찰은 교사의 교수활동보다는 학생의 학습 활동에 초점을 맞추어, 학생 한명 한명에 대해 교사가 어떻게 대응하고 있으며, 각 학생을 배려하고 있는지 관찰한다.

교사가 유연하게 대응하고 있는지, 학생들이 안심하고 자기 생각을 말할 수 있는 교실 분위기가 조성되고 있는지 관찰한다. 학급당 학생 수가 수업을 하는 데 영향을 준다. 학생 수가 적으면 아무래도 맞춤형 교육이 가능하다.

대부분 교사는 본인의 수업을 잘한다. 자기 수업의 부족함을 느끼면 스스로 혁신하는 마음이 생긴다. 연구하고 노력하게 된다. 수업이 잘 이루어지려면 교사와 학생과의 경계선이 잘 세워져야 한다. 무엇보다 관계 세우기를 바탕으로 질서 세우기가 이루어져야 한다는 것이다. 학생과의 관계는 중요하다. 학생들과 함께 약속 형태로 수업 규칙 및 생활 규칙을 만들어 함께 지키도록 하는 시간이 수업 시간이다.

　수업은 상호작용이다. 함께 참여하는 수업이 제일이다. 교사와 학생은 수업 시간에 대화하며 사고력을 키우고, 학습 목표를 달성하는 것이다. 수업을 마치면 역지사지를 느낀다.

　교사는 무엇을 잘해야 하나?

　학생의 상담, 교육내용의 가르침, 학생과 대화, 보살피는 것, 업무처리, 개인의 생활 등 하느라 늘 시간이 부족하다. 교사는 교과 내용을 가르치는 수업의 달인이다. 누구보다도 자신감이 넘친다. 학생들 유형이 더욱 다양해지고, 능력도 학업 수준도 각각 다르다. 어디를 기준으로 할지 고민하며, 중심을 잡고 가르치고 있다. 그래서 요즘엔 교사가 맞춤형 수업하기 힘들다고 한다. 과거를 생각하는 때도 생기며, 미래를 걱정하는 마음이 더 크다. 교사는 학생을 사랑하고, 학생은 교사를 존중하고 존경하길 기대한다.

　　2부 담임교사의 일상

학교 축제의 날이다.

학교 축제의 날이다.

축제라고 하면, 즐거움을 위한 것

학생들은 행사를 준비하는 과정에서 서로 협력하고 자신감을 키우고 협동하는 법을 익힌다.

학생들의 동아리 작품은 부스로 이동시키고 멋지게 꾸며 부스에 준비한다. 특기나 취미활동을 잘 살릴 수 있다. 학생 동아리는 홍보도 빼놓을 수 없다. 학교 곳곳에 다양한 행사를 하며 축제를 즐긴다. 인기가 높은 부스에는 학생들이 몰린다. 모두 즐겁게 지낸다.

장기자랑인 공연은 학생과 교사가 함께 오디션을 실시한다. 예선전은 정말 경쟁이 심하다. 본선에서는 기량을 맘껏 뽐내며 기량을 뽐내며 환호성을 받는다.

학교에서는 즐겁고 안전하게 행사를 준비한다.

다양한 행사로 다양한 일들이 벌어지는 축제의 날이다.

축제는 학생들에게 좋은 추억을 만들 수 있는 행사다.

책을 읽으면 미래가 보인다.

책 속엔 무엇이 있을까?

책 속엔 글이 있다. 이 글을 읽으면 길이 보인다. 그래서 나온 말이 "책 속에 길이 있다"라는 말이다. 독서는 책을 읽는 일이다. 독서는 매우 중요하다. 독서는 아침 일찍 등교해서 시작하면 좋은 습관이다. 담임교사의 역량에 따라 학급의 아침 시간이 달라진다. 예를 들면 다음과 같다.

08:00~08:30 독서 시간

08:40~08:50 아침 조회 시간

09:00 1교시 시작

요즘 1교시 시작되면 오는 학생도 있다.

톨스토이는 "교육은 많은 책이 있어야 하고, 지혜는 많은 시간을 필요로 한다."라고 말했다. 지식과 지혜를 얻는 독서의 중요성을 강조하는 의미다. 평생 읽고, 생각하고, 상상하고, 토론하고, 표현하는 것이다. 미래는 교육의 기본인 책을 읽는 게 중요하다.

독서는 매우 중요하다,

요즈음 학생 중 교과서도 안 읽는 학생도 많다. 핸드폰으로 영상을 잘 보지만, 책을 읽지는 않는다.

"독서는 정신적으로 충실한 사람을 만든다. 사색은 사려 깊은 사람을 만든다. 그리고 논술은 확실한 사람을 만든다." 벤저민 프랭클린의 말이다.

빌 게이츠는 "오늘의 나를 있게 한 것은 우리 마을의 도서관이었다. 하버드 졸업자보다도 소중한 것이 책을 읽는 습관이다."라고 말했다. 독서는 과거나 지금이나 미래에도 인재가 되는 지름길이다.

책을 읽는 습관의 중요성을 강조한다.

사람은 책을 만들고, 책은 사람을 만든다.

책을 많이 읽는 자는 리더로 성장한다.

문화체육관광부에서 조사한 국민독서실태조사에 따르면, "나이가 많아질수록 독서인구 비중과 독서량이 대체로 감소하고 있다"라고 한다. 성인도 책 읽기가 쉽지 않다. 누구나 책을 많이 읽으면 나쁜 것은 없다.

안중근 의사가 뤼순 감옥에서 쓴 글귀다.
"一日不讀書 口中生荊棘"(일일부독서 구중생형극)

"하루라도 책을 읽지 않으면 입안에 가시가 돋는다."이다. 매일 읽는 습관의 중요성이다. 깊은 의미가 책을 읽는다는 것이다. 독서를 통해 사물의 이치를 깨닫고, 세상의 흐름을 파악하라는 의미다. 청소년 시기 독서를 많이 해야 자신의 꿈을 성취할 수 있다. 책 읽기의 중요성은 두말할 필요가 없다. 독서는 문장을 통해 지식을 이해하고 습득하는 과정이다.

독서의 가치는 무궁무진하다.
독서는 지식을 얻는다.
독서는 자기 생각을 발전시킨다.
독서는 마음의 양식이다.
독서는 교훈을 터득한다.
독서는 작가와 소통하는 것이다.
독서는 깨달음을 얻는다.

"남아수독 오거서(男兒須讀 五車書)"는 장자 말이다.

"사내대장부는 다섯 수레 분량의 책을 읽어야 한다"라는 말이다. 책을 많이 읽어야 한다는 의미다. 다섯 수레의 책은 몇 권이나 될까?

빌 게이츠는 이런 말을 했다고 한다.

"하버드 졸업장보다 소중한 것이 독서하는 습관이다."

책 속에 무엇이 있길래 위인들은 독서를 강조할까?

책 속에 길이 있는 것은 사실이다. 학생은 노느라고 바쁘고, 회사원은 돈 버느라고 바쁘다. 어른들은 먹고살기 바빠서 책 살 돈도 없고 책 읽을 시간도 없다고 한다. 누구나 이렇게 살지는 않는다. 누군가는 이런 가운데서 책을 사서 읽는다. 누군가 삶의 목표가 뚜렷하면 기쁜 마음으로 책을 읽는다. 가장 강한 사람은 자기 자신을 이기는 사람이다. 사람은 인생을 살면서 변화할 수 있는 계기가 있다.

"사람이 책을 만들지만, 책은 사람을 만든다"라는 말이 있다. 책을 읽는 자 장래가 밝다. 사람은 책을 읽으면 좋은 점이 많다. 책을 많이 읽고, 메모하고 기록하고 실천하는 삶이 미래 꿈을 이루게 하는 진실이다.

학교안전공제회

학교는 사고의 예방이 최선이다.

미리 예방하는 교육이 중요하다. 학교는 많은 학생이 지내는 공간으로 교실은 학생 놀이터이다. 일상에서 안전사고 발생하지 않도록 예방이 최선이다. 혹시 다치는 사고가 발생하면 보건 교사에게 알리는 게 우선이다. 이후의 상황은 보건교사의 대처에 따른다. 학부모에게 곧바로 연락하는 일이 중요하다. 학년 부장, 학생부장, 교감에게 연락하고 수습해야 한다. 혹시 병원으로 이동하게 되더라도 차분하게 대처해야 한다.

학생 사고 발생하면 어떻게 하지?

학교 안전사고 치료비를 신청하는 사이트이다. 학교 안전 정보 센터에 치료비 청구하는 사이트[3]이다.

각 학교에서는 지역교육청별로 신청한다. 학교에선 안전이 제일이다. 수업 시간, 점심시간, 급식 시간 등 사고가 많다.

학생이나 교사가 다치면 나만 손해이다. 안전교육 표어이다. 꼼꼼하게 확인하고, 안전하다 방심 말고 다시 한번 확인 점검, 깔끔하게 처리한다.

---

3) 학교 안전 정보 센터 http://www.schoolsafe.kr/

이젠 안녕, 종업식이다.

해마다 12월은 학교에서 어수선한 시기이다.

2학기 기말고사 성적처리와 한 학년 마무리 기간이라 분주하고 마음이 바쁘다. 졸업식(卒業式), 종업식(終業式) 굵직한 행사가 줄지어 이어진다.

종업식 날은 수업을 마치는 한 학년을 마무리하는 행사다. 요즘엔 학교 전체 종업식 하는 학교 수가 줄어들고 있다. 수업을 마치면 끝이 아니라 업무 마무리에 대한 행정업무를 한다. 학생 개개인이 학교생활기록부 작성하는 일을 한다. 나는 학급 문고, 학급 앨범을 만들거나 학급 CD를 만들어 나누어 주었다. 행사마다 사진 찍고, 편집하느라 고생은 많이 했지만 나 스스로 만족하면 그만이다.

선생님 1년 동안 수고 많으셨습니다.

고맙습니다~

사랑합니다 ~

감사합니다~~~

건강하세요~~

이런 소리 들리면 더욱 감사할 일이다.

졸업은 새로운 시작이다.

졸업식(卒業式)은 졸업을 기념하는 행사이다.

해마다 유치원, 초등학교, 중학교, 고등학교는 졸업식 행사한다. 2학기 끝난 직후인 12월 말~1월 초에 졸업식을 하는 학교가 늘어나는 추세이다.

과거 졸업식은 일부 학생을 위한 시상식이 중심이었다. 요즘에는 모두를 위한 축하공연과 추억을 영상으로 시청하고 모두를 위한 졸업장 수여식이 대세이다. 졸업식 문화엔 밀가루와 달걀이 생각난다. 해가 거듭될수록 졸업식에 참여하는 학부모 참여 비율이 줄어들고 있다. 졸업식 날 학교에 처음 오는 학부모가 여전히 많다.

<졸업식> 노래(윤석중 작사 정순철 작곡)가 생각난다.
"빛나는 졸업장을 타신 언니께,
꽃다발을 한 아름 선사합니다.
물려받은 책으로 공부 잘하며,
우리는 언니 뒤를 따르렵니다."
~ 중략 ~.

과거 졸업식장에서는 송사와 답사의 메시지에 학생들은 눈물을 많이 흘렸다. 요즘엔 이런 모습 거의 볼 수 없다.

요즘엔 졸업식장에 울려 퍼지는 곡이 다르다.
<이젠 안녕> (작사 / 작곡 정석원)을 부르는 학교도 많다.

"안녕은

영원한 헤어짐은

아니겠지요~

~중략~

"

학교생활기록부 담임 업무 마무리

학교 담임교사는 학생의 부모나 마찬가지다.

담임교사는 하는 일이 너무 많으며 고생이 이만저만이 아니다. 담임교사는 학생의 교우관계, 생활 태도, 식성까지 행동거지를 모두 파악할 수 있다.

아침에 등교해서 모든 행동거지를 관찰한다.

수업 시간, 쉬는 시간, 점심시간, 귀가 전까지 모든 생활이 관찰된다. 담임교사는 모든 사항을 관찰하며, 지지하고, 격려하고, 칭찬하고, 바르게 교육하느라 수고가 많다.

좋은 습관을 형성하도록 가르치고 있다. 내 자녀보다 학생들의 행동을 자세하게 발견하게 된다. 학부모는 가끔 학교에서 자녀의 학교생활을 수업 공개 때 보는 게 전부일 수도 있다. 자녀의 학교생활을 볼 수 있는 기회가 많지는 않다.

중·고등학교는 교과별 담당 교사가 수업하기에 초등학교와 달리 학부모와 얼굴을 마주할 일이 별로 없다.

학교생활기록부는 학생의 성장 과정을 기록한 것이다. 학교 생활 모든 것이다. 초등학교 6년, 중학교 3년, 고등학교 3년 간 생활기록부를 항목별로 작성한다. 학업성취도와 생활 태도 인 인성 등을 기록한 문서다. 교과 담당 교사, 담임교사의 수 고는 바다와 같은 사랑이다.

학교생활기록부 신뢰도는 어느 정도일까?

초·중·고등학교 담임교사는 조례·종례 시간, 점심시간에 학 급 교실을 순회하며 학생을 관찰한다. 교사는 점심시간도 바 쁘게 다닌다. 학교생활기록부에 교과교사의 성취기준에 따른 성취 수준 내용과 성적이 기록된다.

학교생활기록부 확인하는 학부모는 얼마나 될까?

모든 학부모가 확인을 바랄 뿐이다. 학교생활기록부는 학교 생활의 성실도이다. 학교생활기록부는 진학에 영향을 미치므 로 긍정적 내용만을 기술하고, 약점이 될만한 내용은 거의 기 록하지 않는다.

"나중에 커서 잘하겠지!" 피그말리온 효과를 기대한다.

교사의 마음이 이렇다.

바다와 같은 넓은 마음뿐이다.

거룩하고 아름다운 사랑의 마음을 누가 알아줄까?

만드는 활동은

인간의 본성이라는 관점에서,

제작 방역에 관계없이

우리는 모두

만드는 사람'이다.

데일도허티(Dale Dougherty)

- TED 강연 -

2부 담임교사의 일상

3부.

신나는 기술 수업
신바람 톡(Talk)

1. 수업 전문성이란 무엇인가?

학교 교육활동에서 교육에 관한 말이 있다.

"교육의 질은 교사의 질을 넘어설 수 없다"라는 말이다. 이는 학교 교육에서 교사 역할의 중요성을 강조하는 의미다. 교사는 수업 시간에 지식만 가르치는 게 아니다. 교사의 말과 행동, 태도 모든 분야가 교육이다.

그렇다면, 교육제도의 질은 누구에게 달려 있을까?

교육환경의 질은 누구에게 달려 있을까?

교사의 존재가 교육과 보육을 하느라 더욱 힘들다. 또한 교사인지 행정직인지 구분이 안 될 정도로 업무가 많아 걱정이다. 교사는 외친다. "수업 시간에 제대로 교육하고 싶다."라고. 수업을 우선하는 대한민국 학교를 바란다. 교사는 모든 학생이 행복하게 성장할 수 있도록 최선을 다하여 가르치고 있다. 수업을 즐겁고 재미있게 하려고 준비를 철저히 하여 교실에 가면 안타까울 때가 많다. 준비한 모든 것이 쏟아내려고 노력하지만, 교실 수업 환경은 희망 사항일 뿐이다.

수업은 교사와 학생의 상호작용이다.

교사는 수업이 생명이라고 한다. 교사는 좋은 수업을 하고 싶다. 수업을 담당하는 교과교사는 수업 준비하느라 늘 바쁘다. 좋은 수업은 좋은 학생을 키운다. 배우려고 하는 학생이 많아야 하는데 교실에는 다양한 학생이 존재한다.

교사는 전 국민의 동네북이 된 지 오래되었다. 잘해야 본전이다. 만약 뭐 하나 제대로 못 한다면 신문과 방송 뉴스에 기사화되고 있다. 보상이나 존중을 제대로 해주는가? 묻고 싶다. 또한 도덕적으로 요구하는 것은 아주 높다. 학교의 모든 교사는 정신적으로 더욱 힘든 시기이다.

기술 교사는 전공 교과를 가르치면서 업무를 한다.

기술 교사는 전문성이 더욱더 요구되고 있다. 과거 기술 교사로 처음 발령받은 학교생활이 생각난다.

1988년 당시에는 기술 수업이 1주일에 4~5시간 수업하던 시절이다. 매일 수업 준비와 공부하느라 고생을 많이 했다. 고입 연합고사 실시하였기에 1년에 4번 시험 보고 수행평가도 했다. 교과 수업은 주로 강의식으로 프린트를 요약해서 핵심을 외우게 하는 때였다. 당시 매 학기 중에는 고입 준비를 위한 모의고사도 시행했다.

3부 기술 수업 톡(Talk)

아침 정규 수업 시간 전과 방과 후에도 보충 수업도 했다. 방학 중 보충 수업은 2주일 정도 실시했다. 당시의 입시 제도에 누구 하나 어쩔 수 없이 지내던 시절이다. 공부하고, 외우고, 시험 보고 평가하는 시기였다. 학교 교육의 목적과 방법이 단순했다.

교사의 수업 전문성을 성적으로 평가하기도 했다. 일부 고등학교에는 더욱 심했다. 과거엔 전 교과 시험을 치르던 학력고사 시기였다. 요즈음 대한민국의 초·중·고등학교에서는 국어, 영어, 수학 과목이 수능 시험에서 주요 과목이 되었다. 누가 아니라고 하겠는가? 연간 공부하는 수업 시간 비중을 봐도 알 수 있다.

초·중·고등학교의 기술 수업 시간은 얼마일까?

과거와 비교해 수업 시간이 많이 줄었다. 이유가 무엇일까? 궁금할 것이다. 지금 현직의 기술 교사 선배들의 책임이라면 할 말이 없다. 그래서 글로 전한다. "내 할 일을 다 했는데 이 지경이 되었습니다. 안타깝습니다." 기술의 중요성은 나날이 강조되고 있다. 대한민국의 미래를 걱정하게 된다.

기술의 중요성을 안다면 대책은 무엇일까?

초심에서 뒷심으로

누구나 학교에서 행복하게 지내고 싶다.

교사들은 수업 준비와 수업, 행정업무에 정신없는 하루를 보낸다. 교과교사는 즐거운 수업을 위해 준비를 철저히 하고 있다. 바빠서 소홀히 하면 수업 시간이 걱정되고 두렵다.

기술 교사 발령이 난다.

누구나 다 처음에는 열정을 갖고 부지런하게 시작한다. 열정과 사랑을 지속하는 게 당연하지만, 초심을 지속하기가 쉽지는 않다. 일부 교사는 몇 년 지나면 틀에 박힌 수법에 빠지게 된다. 운동하는 선수들이 겪는 일종의 슬럼프와 비슷하다. 이를 잘 극복하는 게 당연하지만, 매너리즘에 빠지는 문제도 있어 어쩔 수 없다. 학교생활이 항상 틀에 박힌 일정한 방식으로 생긴 습관이다.

윌리엄 제임스는 말했다.

"생각이 바뀌면 행동이 바뀌고, 행동이 바뀌면 습관이 바뀌며, 습관이 바뀌면 운명이 바뀐다."라고. 교사의 습관이 매우 중요한 것임을 의미한다. 수업을 위해 철저히 준비하는 교사의 습관을 강조한다.

3부 기술 수업 톡(Talk)

중·고등학교는 교과별 차이를 느끼는 경우가 많다. 대규모 학급의 학교는 기술과 가정을 분리하여 가르치기도 한다. 소규모 학급에선 혼자 기술·가정 교과를 담당하는 게 숙명이다. 3개 학년 교과목을 가르치고 수행평가하려면 정신없이 바쁘다. 기술·가정 교과목은 다른 수업 시간과는 차별화하는 수업을 준비하기 좋다. 경험을 모두 전하지 못하는 한계가 있지만, 일부라도 글로 전하고자 한다.

대학은 교육이론가의 가르침이고, 학교는 교육의 실천가이다. 대학에서 배운 것을 교실에서 가르치는 상황이 일치하면 좋으련만 너무 다르다. 임용고시에 합격한 새내기 교사들은 우수한 능력을 보유한 현재의 교육자이다. 새내기 교사는 웬만한 것은 다할 줄 알지만, 처음이라는 건 누구나 마찬가지이다.

나의 초임 시절의 경험이다. 기술은 남학생만 배우던 시기다. 수업 시간 기술 교과 내용도 가르치며, 전문적인 지식도 가르쳤다. 한 시간이 금방 지나간다. 학생들은 전문지식을 습득해서 좋겠네! 생각했지만, 나중에 경력이 쌓이면서 그게 아니라는 걸 깨닫는다. 경력이 쌓이면서 교과서의 내용 위주에서 생활의 지혜로 가르치게 된다. 고경력이 되면 핵심을 요약해서 다양한 이야깃거리를 추가해 경험으로 가르친다. 지금까지 나의 기술 교사 경험이 이렇다는 것이다.

2. 기술 수업 좌충우돌 이야기

기술 교사는 "기술 교과서를 가르치는 게 아니라, 기술 교과서로 가르치는 것"이라고 한다. 가르친다는 의미를 깊이 있게 표현한 말이다. 교과서 내용 위주에서 역량이 함양되도록 가르친다는 의미다.

기술 교사는 지식과 기능, 태도를 제대로 가르치는 교과이다. 특히 도구나 공구의 올바른 사용법을 제대로 알려주어야 하는 기능도 가르치는 게 당연하다.

요즘 학생들은 메이커 학습 활동의 양극화가 정말 심하다. 가위질, 칼질, 자를 대고 선을 긋기 등 수준 차이가 매우 심하다. 메이커 활동에 대한 만들기 수준을 낮출까? 높일까? 걱정하면서 수업할 수밖에 없다.

이를 자세하게 가르치다 보면, 만들기 활동에서 일부 학생들은 성취감이나 작품 수준이 당연히 떨어진다. 교과 지식도 잘 가르치려면 연구 많이 해야 하고, 교과 기능도 잘 가르치려면서 메이커 활동을 한다. 문제 해결 활동 과제도 수행하고 평가도 해야 한다.

첫 수업 시간에 학생들에게 질문하면서 시작한다.

"기술을 왜 배우지?"

"기술자 되려고요"

"그러면 수학 배우면 수학자 되니?" 묻는다.

모두가 "아니요"라고 한다. 그러면 "과학 배우면 과학자 되느냐고?" 묻고 또 질문한다. 마찬가지 대답을 한다.

수업 첫 시간에 이런 이야기를 주고받는다. 질문하고 상호작용한다. 계속 질문은 이어진다.

"대학생들이 어느 기업에 취직하길 바랄까?"

"왜"

"원한다고 취직이 되는가?"

"창업한다면 어떤 일 하고 싶은가?"

"나중에 커서 뭐 할래?"

"얼마의 돈을 벌고 싶으니?"

"네 꿈은 무엇이냐?"

다양한 질문을 수업이 마칠 때까지 주고받는다.

궁금하면 물어보세요?

"궁금한 게 뭐냐?"

"어떻게 기술 교사 되셨어요?"

기술을 왜 배우는지를 설명한다.

기술은 삶이다.

기술은 교양교육이다.

기술은 일상생활이다.

기술은 삶의 편리하게 하는 것이다.

기술은 발명이다.

기술을 설명하면서 상호작용을 한다. 기술교육은 현대 문명 사회를 살아가는데 필요한 기술적 지식, 태도 및 능력을 길러 주기 위한 일반교육이다. 기술 수업을 하면서 질문을 무작정 받는다.

이런 질문도 한다. 기술교육과의 역사를 간단하게 설명한다. 우리나라 대통령 이름을 질문한다.

"대통령을 아는가?"

대부분 지금의 대통령을 말한다. 모르는 학생은 거의 없다. 수업 시간 이야기 시작한다. 우리나라 제3공화국 시절엔 공업화의 시대였다. 중공업과 화학공업을 육성하던 시절 이야기를 한다. 그리고 전국의 지방 국립대에 특성화 학과가 지정되어 충남대학교 기술교육과가 설립된 사실을 설명한다. 그때 생긴 오늘날의 카이스트 대덕 연구단지도 설명한다.

3부 기술 수업 톡(Talk)

기술교육과는 1981년 충남대학교에 최초로 개설되었으며, 1992년에 한국교원대학교에 두 번째로 개설되었고, 2001년에 세한대학교에 세 번째로 개설된 사실을 설명한다.[4] 그리고 2011년 공주대학교에 기술 가정교육과가 개설된 내용도 설명한다. 그리고 계속 질문하면서 수업한다.

"미래 꿈이 있느냐?"

"삼성과 현대 대기업에서 누가 신제품을 개발하고 발명품을 만드느냐.?"

항공우주 나로호 이야기를 한다.

"우주선 이런 제품은 누가 개발하고 제작하는가?"

"비행기, 헬리콥터, 자동차, 누가 만들까?"

"인공지능 시대의 제품은 누가 어떻게 만들까?"

그리고 에디슨, 스티브 잡스, 장영실, 세종대왕, 정약용 이야기를 한다. 요즘에 대기업들의 역사를 간단하게 이야기한다. 요즘 변화하는 세상의 메이커와 기술의 중요성을 강조한다. 한 시간이 금방 지나간다.

---

4) 너무 위키
https://namu.wiki/기술교육과

3. 수업의 모든 것

교사는 매일 수업하는 삶이다.

수업은 업(業)이요, 의무이다. 수업의 의미는 학생에게 지식이나 기능을 가르쳐 주는 일이다. 학생들의 배움의 시기는 개인적으로 매우 중요하다. 청소년기 시기를 어떻게 보내느냐가 개인의 인생을 결정짓게 된다. 기본적인 올바른 인성과 기초 역량을 키워주는 게 학교 교사의 역할이다.

기술 교사의 기술 수업은 다른 수업과는 다르다.

기술 수업의 정석은 설명과 시범을 보이는 일, 메이커 체험과 과정중심 평가이다. 강의식 수업은 비슷하지만, 실습이나 만들기를 많이 하는 과목이다. 기술 교사는 실습재료 준비하느라 다른 교과교사보다 더욱 바쁘다.

미리 예산 계획하고, 재료 검색하여 준비하고 품의 올리려면 하루가 너무나 짧다. 또한 재료를 구한다고 다가 아니다. 교사가 미리 만들어 보고, 소요 시간을 알아보고 작동 여부 확인하려면 오래 걸리기도 한다.

3부 기술 수업 톡(Talk)

과거엔 기술 수업 시간이 주당 4~5시간이었다.

요즈음에는 주당 1~2시간뿐 이다. 지금 근무하는 학교는 학년당 1시간씩이다. 그러면 3년 동안 기술가정 각각 1시간이다. 무엇을 제대로 만들 수 있을지 걱정하면서, 대부분 간단한 실습을 주로 하게 된다. 기술 시간은 만들기가 필수이다. 창의력과 문제 해결 능력함양을 위한 만들기 수업 활동을 주로 했다.

기술 교사의 수업 경험이다.

나는 만들기 수업을 많이 했다. 목공, 오토마타, 컴퓨터 활용, 교량, 건축모형 제작과 수송 기술 자동차 제작에 PBL 수업 계획하고 추진했다. 최근 가정교사와 협의하여 평가 방법을 개선하고 100% 수행으로 평가한다. 처음엔 다양한 평가로 인하여 평가하기가 번거롭고 힘들다고 했다. 그렇지만 교과 특성상 이렇게 하는 게 역량 함양이라고 설득했다.

수행평가는 기술 50%, 가정 50%로 하여 100% 수행으로만 한다. 세부 사항은 교과 내용을 가지고 각각 평가한다. 교사가 각자 알아서 하지만 협동하여 좋은 방법 찾아서 기준을 정해 평가한다. 만약 소규모 학교에서 혼자 교과를 담당해도 마찬가지일 것이다.

가끔은 학교 가기 싫을 때도 있었다.

그뿐만 아니라 문제 학생이 많은 학급 교실은 특히나 들어가기 싫다. 은근히 공휴일이었으면 하고 바라기도 했다. 다인수 학급의 두개 학년에 24시간 수업을, 매주 12번 반복하여 수업할 때도 있었다. 실습하는 경우엔 기술실에서 만들기를 하는 경우도 많았다. 반복적인 실습으로 생활의 달인처럼 수업도 했다. 실습이 좋을 때도 있지만, 2개 학년 개인별 평가할 땐 초과 근무하며 채점하느라 고생도 많았다.

강의식 수업은 수업의 기본이요, 정석이다.

자유학기제, 자유학년제 모두 상관없지만 진도나 평가의 기준에서 협의를 잘해야 한다. 교사가 가르치고 평가하는 과정에서 평가 전문가로 세부 기준을 잘 준비해야 한다.

수업은 가르치며 배우는 것이다. 강의도 하며 적재적소에 적합한 수업을 구사한다. 수업 방법 개선에 대한 방법으로 활동중심 수업을 안내한다.

요즈음엔 프로젝트 학습 PBL(Project Based Learning)학습을 준비하여 활동 중심수업을 강조한다. 프로젝트 학습(PBL)은 교사가 교과의 교육내용을 단원별로 학기별로 분석하고 재구조화하여 수업 설계한다. 단원 설정은 학생들의 활동 중심 수업을 계획하는 것이다.

평가 방법은 과정 중심 평가이다.

교사가 창의적 문제 해결 능력을 함양시키도록 준비한다. 다양한 수행평가와 다양한 채점 기준으로 평가했다. 만들기 활동으로 과정 중심 수행평가를 하면, NEIS에 점수를 항목별로도 입력하느라 고생했다.

여러 학년 담당하면 점수 입력이 쉬운 일이 아니다. 내 교과 내가 입력하는 게 당연하지만, 힘들다고 누구한테 하소연도 못 한다. 이럴 땐 휴식해야 한다. 마지못해야 하게 되면 틀리거나 스트레스가 이만저만이 아니다. 교직이 이런 것이다. 내가 할 일을 내가 알아서 하는 깃이나.

오죽하면 교직에 유행하는 각자도생이라는 말이 생겼다.

수행평가는 과정 중심 평가하고 최종 점수 확인하고 사인을 받는다. 남학생들은 점수에 크게 민감하지 않은데, 여학생들은 예민하게 여기는 학생이 와서 하소연하는 예도 있다. 이럴 땐 가장 잘한 작품을 보관하고, 개인의 작품을 자세하게 채점 루브릭 평가표를 보여주고서 이해시킨다. 대부분 학생은 인정하는데 일부 학생은 머뭇거린다. 100% 수행평가인데 점수 몇점 차이를 중요시하는 학생이 있게 마련이다. 냉정과 온정에 집중하며 중심을 잡고 설명한다. 학생이 수긍하면 다행이다.

수업은 기술이고 종합예술이다.

진짜 중요한 것은 의미 있는 수업이고 메이커를 경험하는 것이다. 기술 교사는 실습하기에 필요한 만들기를 미리 해봐야 좋다. 특히 수행평가하는 메이커 활동은 재료와 제작 과정, 결과물에 대한 가치, 평가하는 기준을 생각하여 소요 시간을 파악하며 제대로 해봐야 한다.

완성된 제품은 수업 시간에 모형을 제시하여 설명하고, 시범을 보이며 설명하면서 이야기하면 시행착오를 줄일 수 있는 좋은 수업이 된다. 이 게 기술 수업의 정석이다.

교사는 학생들의 역량 함양을 위하여 수업을 올바르게 잘하는 게 중요하다. 수업을 잘하려면 연구해야 한다. 이게 교사의 업이다.

실습하는 과정 중심 평가는 교사의 설명과 시범 보여주기 및 안전 수칙을 강조한다. 수업 시간에 다치는 일이 많다. 기술 시간 만들기 수업의 맛과 멋은 흥미 있게 시작하고, 재미있게 체험하는 일이다.

메이커 활동 과정에서는 평가보다는 피드백이 중요하다. 교사의 적절한 개입과 격려가 수업 시간에 할 일이다. 교실을 순회하면서 교사가 할 일이다.

3부 기술 수업 톡(Talk)

무엇을 만들까?

왜 만들까?

어떻게 평가하지?

그동안 기술 교사 수업 경험이 정답은 아니다.

본시 수업 시간의 루틴은, 수업 시간 내용 설명하고, 시범을 보이고, 체험하고, 평가하는 일이다. 만들기 경우엔 미리 만들어 수업 시간 보여주며 내 경험을 이야기한다.

평가의 경우엔 반드시 항목별 개인별 보고서 평가를 한다. 이유는 개인별 체험내용을 구체적으로 작성하느냐가 경험으로 배운 지식이고, 만들기 작품은 기능이고, 만들기 이우 성리 정돈 등은 태도이기 때문이다.

지금은 교과별 세부 특기 사항란에 기록하느라 관찰을 꼼꼼하게 한다. 관찰한 사실을 구체적으로 기록하느라, 수업보다 생활기록부의 기록내용에 신경이 더 쓰인다.

도구의 활용과 기술 수업

인간은 도구를 만들어 사용하였다.

생활에 필요한 도구를 창조하고 생산했다. 도구와 기계의 활용, 전기와 컴퓨터 사용, 로봇과 인공지능(AI)의 발달로 더욱 편리해지는 세상이다. 기술의 발달과 발명품으로 세상을 빠르게 변화시킨다. 창의적인 인간, 문제를 해결하는 인재의 중요성이 강조된다.

새로운 도구를 왜 만들까?

도구와 공구의 사용 방법은?

기술의 발달 주인공은 누구일까?

인간은 호모사피엔스(Homo sapiens, 知識人)이고, 도구를 사용하여 생산하는 창조자 호모파베르(Homofaber, 工作人)이다. 지혜와 이성과 지식을 갖춘 인간은 생각하는 능력, 문제 해결하는 능력이 중요해진다. 호모파베르(Homo Faber)는 도구를 사용하는 인간을 뜻하는 용어이다. 인간의 본질을 도구를 사용하고 제작할 줄 아는 점에서 파악하는 인간관으로 베르그송에 의해서 창출되었다.

'하늘 아래 새로운 것은 없다.', '세상은 아는 만큼 보인다.' 라는 말이 있다. 아는 만큼 지혜롭게 깨닫는다는 의미다. 눈에 보이는 사물을 잘 관찰하고, 생각하는 만큼 만들 수 있다고 해석할 수 있다.

손의 활용은 인간의 역사이다.

도구의 활용과 사용은 위대한 일이다. 여러 가지 도구를 사용하여 집, 자동차, 비행기도 만든다. 가구 제작에도 도구를 이용하여 만든다. 취미를 즐기는 삶을 사는데도 도구를 활용한다. 음식 재료를 가지고 음식을 만들고, 연필로 글을 써서 책을 만들지요. 물감으로 멋지게 표현하여 멋진 작품을 완성한다. 누구는 악기를 만들어 연주한다. 인간은 많은 것을 만들어 필요한 곳에 사용한다.

도구를 만들고 사용하는 것은 인간의 본성이다. 누가 가르치고 어떻게 가르치는가를 공부라고 한다. 기술교육은 이런 문제를 해결하는 시간이다. 그래서 도구를 사용하는 우리의 손은 위대한 것이다. 도구와 공구, 기계의 개발과 사용은 미래 교육이다, 도구를 사용하는 우리의 손은 인류의 미래이다.

에듀테크와 기술 교사

4차 산업혁명 시대 디지털시대다.

에듀테크란 교육(Education)과 기술(Technology)을 조합해 만든 용어로, 빅데이터·인공지능 등 정보통신기술을 활용한 차세대 교육을 의미한다.[5]

인공지능과 에듀테크는 기술 교사의 친구다. 친구는 만나면 반갑듯이 에듀테크는 기술 교사의 만남이다. 교사의 손에서 만남이 시작된다. 에듀테크 교육은 학생을 위한 교육의 보조 수단이다. 기술과 교육의 만남이 교사와 학생 에듀테크의 협업이다. 수업 시간 학습에 활용하여, 교육적 목적을 달성하는 것이다. 코로나 시대를 지나면서 에듀테크의 확산은 피할 수 없는 현실이다.

학생들에게 에듀테크를 활용해야 하는가?
무엇을 어떻게 해야 하는가?

---

5) [출처] 대한민국 정책브리핑(www.korea.kr)

3부 기술 수업 톡(Talk)

기술 교사로서 디지털 기술은 얼리어답터이다. 기술을 이해해야 세상에 대해 질문할 수 있다.

교육 현장에서 에듀테크를 제대로 활용하는 기술 교사이길 기대한다. 학교는 학생들에게 스마트기기를 보급하고, 활용하고 있다. 스마트기기를 활용할 수 있는 학습환경이 조성되었다. 이제는 누가 무엇을 어떻게 활용하느냐는 오로지 교사의 역량에 달려 있다.

배우고 가르치는 삶이 고되다. 배우려니 시간이 없어 힘들고, 가르치려니 배우려고 하지 않는 학생이 많다. 한 명 한 명 맞춤형 교육을 하려니 더욱 힘들다.

의무교육에 의무적으로 배워야 하는데, 의무를 행하지 않는 학생 때문에 걱정이다. 학생이 우선 걱정되지만, 학교의 미래가 걱정이다. 대한민국의 미래가 걱정이다. 걱정해서 걱정이 없어지면 좋겠다.

수업하는 것은 기술이요 예술이다.

에듀테크를 활용하는 게 기술 수업에 딱 맞다. 기술을 활용하는 수업 시간이 필요하다. 기술은 수업의 효율을 높여준다. 코로나를 겪는 중에도 교육 현장에서 에듀테크의 활용하여 원격교육을 했다.

처음에는 불편하고 힘들었지만 적응하면서 이제는 능수능란하게 대부분 교사가 잘한다. 비대면 수업, 문제는 학생들은 누군가 관리하지 않으면 학습하지 않는다. 평가 결과 양극화가 심하게 나타났다. 등교해서 학습하는 게 그동안 교사들의 노력과 수고가 확인된 것이다.

에듀테크(EduTech)는 기술과 교육의 만남으로 학생들의 학습효과를 높이는 것이라고 한다. Technology을 활용하여 수업에 적용하는 기술이다. 에듀테크를 활용하는 교육은 과거로부터 시작되었다. 교육 공학 도구라고 하여 사용해 왔다. 오감을 자극하는 방법이다.

19세기부터 20세기 초창기는 괘도, OHP를 사용했다. 컴퓨터의 등장으로 CAI 프로그램 활용, 빔프로젝터로 발전하여 오늘날에 이르렀다. 인터넷은 정보의 바다라고 한다. 알고자 하는 내용을 검색하면 다 제시한다.

에듀테크의 종류도 다양하며, 에듀테크의 교육환경이 변화하고 있다. 예를 들면, 컴퓨터 또는 태블릿, 핸드폰을 활용하여 가상현실과 증강현실, 메타버스를 활용한 수업도 증가하고 있다. 다양한 수업자료를 선택하여 수업 시간 활용한다. 교육의 보조 수단으로 활용하고 있다. 사회 변화에 따라 수업자료와 방식 등을 꾸준하게 변화시켜 왔다.

3부 기술 수업 톡(Talk)

영상을 직접 제작하는 교사도 많았다. CD로 보여주던 영상 자료들은 이제 유튜브로 볼 수 있다. 인공지능 로봇도 마찬가지이다. CHAT GPT 등상이 너무 걱정만 해서 될 일이 아니다. 활용을 잘 하면, 이 또한 좋은 수업 교구이다.

디지털 전환 시대 교육의 방법도 점차 변화가 필요하다.

디지털 교과서가 등장이 10여 년이 지났다. 디지털 교과서는 수업 관련 동영상, 360도 카메라, 증강현실, 가상현실 등을 이용하는 에듀테크 활용 수업을 제대로 활용하는 시기다.

좌충우돌은 정상이다. 디지털 교과서는 특정 부분의 교육을 쉽고 재미있게 학습할 수 있도록 만들었다. 활용 연수도 해마다 실시하고 있으나 현재까지는 많은 교사가 활용하고 있지는 않다. 디지털 교과서 개발과 보급을 하지만 학교에서 활용의 효과가 어느 정도 인지 궁금하다. 2025년부터 디지털 교과서를 사용한다고 교육부에서 발표는 했다. 사교육 기관은 발 빠르게 움직이고 내용이 나날이 진보하고 있다.

에듀테크와 함께 수업을 변화시켜보려는 열정 넘치는 교사들이 참 많다. 오늘날 교육과 디지털 기술의 접목은 인공지능 시대의 흐름이다. 사교육 기관에서의 교육내용 개발한 자료는 넘친다.

High Tech, High Touch

2025학년도부터 디지털 교과서를 학교에서 사용한다고 예고했지만, 여건이 되는 학교에서는 이를 앞당겨 시범 운영 확대를 제안한다.

교사에게 제공하는 자료는 교과서 달랑 한 권. 나머지 내용은 교사가 알아서 준비하고 가르치라고 한다. 그럴 수밖에 없는 게 오늘날의 학교 상황이다.

시대의 변화에 앞서가는 교사는 말한다.

'바꿔보자', 누군가는 말한다. '나서지 말라'고….

학교는 즉시 변화하지 못한다.

교육과정대로 교육하기 때문이다. 최신 기기나 장비는 시간이 지남에 따라 에듀테크 기술들을 받아들이게 된다. 변화에 앞장서는 교사로부터 연수받고 터득하여 적용하는 데 시간이 오래 걸리지는 않는다. 선도 교사가 있어 가르쳐주면 즉시 배우게 된다. 교사들은 변화를 앞서가기도 하지만 두려워하기도 한다. 지금까지 잘 해왔는데 뭘 바꾸느냐고. 스스로 공부하여 변화하는 교사가 많아지길 바란다.

과거에 MS Office 프로그램의 파워포인트 처음 나왔을 때 전 교시 연수를 시행한 기억이 생각난다.

일부 시도교육청은 컴퓨터 능력을 향상하고자 컴퓨터 자격증 취득자에게 승진 가산점도 부여했다. 이제는 당연하게 여기는 추세이다. 교사는 늘 신기술과 에듀테크를 활용할 줄 알아야 한다. 에듀테크 제작하는 기술교육을 강조하는 게 아니다. CHAT GPT도 기술을 어떻게 활용하느냐가 에듀테크이다.
교사는 기술을 활용할 줄 알아야 한다.
핸드폰이 처음 나왔을 때 사용법을 익히듯이 배워야 삶을 편리하게 살 수 있는 것이다.

교육 현장에는 인공지능을 갖춘 AI 로봇 선생님이 등장할 것이다. 인공지능(AI) 로봇 선생님의 도움으로 개인별 맞춤형 교육 효과를 기대가 된다. 기본적인 학습 설계와 교육은 당연히 교사가 가르치게 된다.

학습자가 필요에 따라 자기 주도적으로 체험하고 경험하고 문제 해결을 할 수 있는 학습 도구로 이용될 것이다.
AI형 에듀테크가 교육 현장에 주도적 역할을 하리라고 예견된다. 자기 주도적 학습을 유도해 문제 해결 능력을 기를 수 있다는 장점도 있다. 1:1 개인별 맞춤교육을 할 수도 있다.

교육에 변화는 당연하다.

디지털시대는 생각하고 배우는 역량도 필요하다.

디지털 신기술 활용 능력이 우수한 교사도 있다. 디지털 기술 활용하는 교육은 연수를 통해 실시하면 된다. 4차 산업 혁명 디지털시대에 교사는 평생 학습해야 한다.

창의적 인재를 양성하고, 문제 해결 능력을 갖춘 교육을 하려면 에듀테크를 활용하는 것이다. 교육에 기술을 활용하는 에듀테크 수업이다. 다만 교사가 가르치려 해도 배움에 적응하지 못하는 학습 동기가 높지 않은 학생에게는 걱정이다.

지금의 교실 환경을 바라보자.

학생은 수업 시간에 똑같은 내용을, 같은 시간에, 같은 속도로 학습하고 있다. 정해진 수업 시간에 많은 학생이 이해하면 좋겠지만 그렇지 않다. 개인의 역량이 차이가 난다. 한마디로 실력(實力)과 학력(學力)의 양극화다. 이를 잘 해소하도록 노력하는 학습 방법이 중요하다.

학력 양극화의 해소 방법이 완전 학습이다. 이를 제대로 해결할 수 있는 것이 맞춤형 교육이다. 수준별 학습(學習)이다. 이를 위해 학생 수가 적은 교실 환경을 기대한다.

2016년 스위스 다보스에서 열린 세계경제포럼에서 클라우스 슈밥(Klaus Schwab)박사는 제4차 산업혁명 시대를 선언했다. 제4차 산업혁명은 기술이 사회를 크게 변화시키고 있는 시대이다. 제4차 산업혁명은 로봇 공학, 인공지능, 나노 기술, 양자 프로그래밍, 생명 공학, IoT, 3D 인쇄 및 자율주행 차량을 비롯한 여러 분야에서 새로운 기술 혁신이 나타나고 있다.[1)]

학습은 어떻게 해야 향상할 수 있을까?

오늘날을 한마디로 표현하면 디지털 인공지능 시대이다. 하이테크-하이터치(High Tech High Touch)시대다. 하이터치 하이테크(High TechHigh Touch) 교육은 학생 한 명 한 명이 맞춤형 교육을 가능하게 할 수 있기를 기대한다. 첨단기술(HighTech)을 활용하여 하이터치(HighTouch) 학습을 통하여 학습 목표를 달성하는 것이다. 교과 역량을 키워주길 기대한다. 수업 시간에 에듀테크 기술을 활용하는 것이다.

어떻게 활용할 수 있을까?

AI가 가르친다고 똑똑해질까?

미 성숙한 학생들을 누가 가르치는가?

미 성숙한 학생이 성숙한 인간으로 성장하는가?

교육은 사람들의 인간다움과 따뜻한 인간중심 교육이 교육의 본질이다. 교사가 관심을 가지고 가르치고, 바른길로 안내해야 한다. 제대로 알려주어도 잘 따르지 않는다. 인내하고 끝까지 최선을 다해 교육하는 게 교사 사명이요 의무이다. 교사는 그래서 힘들다. 따뜻한 마음으로 정성으로 가르치는 게 교사이다.

2025년부터 초등학교 3·4학년, 중학교 1학년, 고등학교(공통·일반선택 과목)의 수학, 영어, 정보 과목에 인공지능(AI) 디지털 교과서가 도입될 예정이다. 디지털 기술을 활용하여 수업 혁신할 수 있도록 인공지능(AI)과 디지털 연수하느라 또한 바쁠 것 같다. 인공지능(AI) 디지털 교과서 활용으로 교육의 가치를 실현하는 계기가 되길 기대한다.

인공지능 시대 교육의 변화는 기대와 우려가 동반된다. 에듀테크 기술을 수업 시간에 적절하게 활용한다. 에듀테크를 학습 동기와 평가에 활용한다.

ChatGPT도 발전할 것이다.

ChatGPT는 OpenAI가 개발한 프로토타입 대화형 인공지능 챗봇이다.[6]

---

6) 위키백과
  https://ko.wikipedia.org/wiki/ChatGPT

3부 기술 수업 톡(Talk)

개발회사-OpenAI

오픈AI(OpenAI)는 미국의 인공지능 연구소

ChatGPT가 할 수 있는 기능은 다양하다. 실시간으로 원하는 정보를 질문하면 대답하는 기능이다. 친구와 마주 보고 대화하는 경우와 비슷하다. 대충 말해도 알아듣는 수준이다. 무엇인가 모르는 사항 질문하면 즉시 대답해준다. 질문이 구체적이면 대답하는 능력도 우수하다.

교육에 사용될 때 학생들의 창의성과 전문성, 인성 역량을 함양해야 한다. 교육과 평가 방식도 변화의 필요성이 요구되고 있다. 오감 만족을 주는 교육 방법이다. 자신의 흥미와 수준에 맞는 수업을 할 수 있도록 도와주는 보조교사가 되길 바란다.

공부는 메이커이다.

공부(工夫, study)는 사전적 의미로 "학문이나 기술을 배우고 익히는 것"을 한다.

우리의 생활에서 모든 것이 인격 형성에 도움이 되는 공부이다. 삶에서 배우는 모든 것이 인생 공부다. 한마디로 말하면 인생을 사는 것이 공부다. 공부는 모르는 것을 알려고 하는 행동이다. 삶은 곧 배움이고 배우고 익히면 전문가가 된다. 나에게 필요한 것을 배워서 전문 직업을 선택하여 이 세상 사회에 한 사람으로 공동체에 기여하고, 경제적인 보상을 받아 가족의 생계를 유지하고, 자신의 만족과 인정받고 존중받는 자아를 실현하려고 공부한다.

기술(技術)의 사전적 의미는 "어떤 것을 잘 만들거나 고치거나 다루는 뛰어난 능력. 특히, 그것을 얻기 위해서는 오랜 수련·학습·연구 등이 필요한 것을 가리킨다."라고 제시하고 있다. 넓은 의미로는 "어떤 일을 전문적으로 할 수 있는 능력을 포괄하기도 한다."로 되어 있다.

3부 기술 수업 톡(Talk)

앨빈 토플러(Alvin Toffler,1928~2016), 미국, 미래학자, 문명비평가는 "21세기 문맹인은 읽고 쓸 줄 모르는 사람이 아니라, 배운 것을 잊고, 새로운 것을 배울 수 없는 사람이다." 라고 말했다. 그뿐만 아니라 "한국의 학생들은 하루 15시간 이상 학교와 학원에서 미래에는 존재하지도 않을 지식과 직업을 위해 공부한다"라는 지적과 함께 제대로 배우고 공부하라, 새로운 지식을 학습하라는 미래의 메시지를 전했다.

"아는 것이 힘"이요, 평생학습 시대이다. 평생 공부를 해야 하며, 배우면 알게 되고, 알게 되면 깨닫게 되는 것이다.

"학문이나 기술을 배우고 익히는 것" 평생 하는 공부이다. 그래서 평생 공부라는 말이 오늘날 중요하므로 누구나 실천해야 한다.

인류는 처음에 필요해서 도구를 사용하여 호기심으로 만드는 활동을 했다. 만들기의 시작으로 기술이 발달하고 창의적인 사람이 새로운 제품을 만들었다. 수공업 시대가 되자 가정에서 간단한 만들기는 했다. 시대가 발달하면서 초보자, 전문가가 등장했다. 처음 만들기 하는 초보자가 행하는 만들기는 입문 과정에 해당하는 수준의 초보 메이커이다. 최근에는 아주 뛰어난 멋진 전문가 작품을 만든다. 진정한 메이커는 즐기며 새로운 것을 창조한다.

메이커는 분야별로 다양하며, 크게 둘로 구분하여 설명한
다. 개인이 흥미를 느끼며 취미로 무엇인가 만드는 활동을 하
는 일반 메이커와 제품을 만드는 제작 활동을 하는 분야의 전
문 메이커로 나눌 수 있다. 흥미와 취미로 시작했던 메이커는
점점 새로운 아이디어를 생성시키면서 무엇인가 만들어내는
전문가로 발전한다.

만드는 과정 자체를 의미 있게 여기고 창조한 결과물에 대
해 자부심과 자긍심을 가지며, 만족도가 높아지고 성취감을
가진다. 인류를 위대하게 만드는 자 그들을 모두 메이커라 부
른다. 기술은 보고, 듣고, 체험하고 만지는 교육이다. 백문이
불여일행으로 재미를 느껴야 문제를 잘 해결한다.

메이커 과정을 꾸준하게 지속해서 하는 메이커는 상품화에
관심을 두고 만들어내는 전문 메이커가 되는 과정으로 성장한
다. 메이커 활동을 통해 멋진 새로운 제품을 만들고 창업할
수 있으며, 수입을 얻고 기업가정신을 함양하여 기업가로 성
장하게 된다. 메이커는 다양한 기술을 활용하여 제품을 생산
하는 생산자이며, 소비자인 프로슈머의 역할을 한다. 우리는
모두 메이커이다.

3부 기술 수업 톡(Talk)

교사 공개수업은 일상이다.

  우리나라 초·중·고 교사는 매년 공개수업을 한다.

  학교 자율 장학, 학부모 공개수업, 스스로 원하는 외부 공개수업, 전문성 향상을 위하여 노력하고 있다. 공개수업 여러 번 하면 수업에 자신감이 생긴다. 공개수업이 오히려 자부심을 크게 높이며, 자존감도 향상하게 된다.

  기술 교사 공개수업 경험을 안내한다. 1990년대 초반에는 수업 연구대회가 있었다. 교사 경험이 적은 저 경력인데 무작성 도전했다. 당시 장려상을 받고 만족하지 못했다. 계속 도전하고 연구하여 최우수 수상받기까지 힘들었지만, 교직에서 좋은 경험으로 지금까지 자랑스럽다.

  공개수업은 활동 중심수업을 주로 했다. 생각나는 대로 주제만 작성한다. 삼각법으로 도면 그리기, 발명아이디어 산출하기 브레인스토밍과 발표, 큐브 제작하기, 종이 아치교 만들기, 건축모형 제작하기, 보고서 작성하고 발표하기, 수송 기술 자동차 만들기, 미래 자동차 앱 활용하는 수업, 구글 어스 활용하는 건축물 찾아보기 수업, 주로 개인 또는 함께 참여하는 공개수업 했다.

이 외에도 많지만 다른 장에서 안내한다. 교과 내용 지식 전하는 공개수업도 있었지만 거의 실습했다. 이유는 이론 수업은 잘해야 본전이고, 기술 교과의 본질을 보여주려고 했다. 공개 수업하게 되면 참관하는 분들에게도 만들기 재료를 준다. 학생들처럼 메이커 경험을 느끼도록 했다.

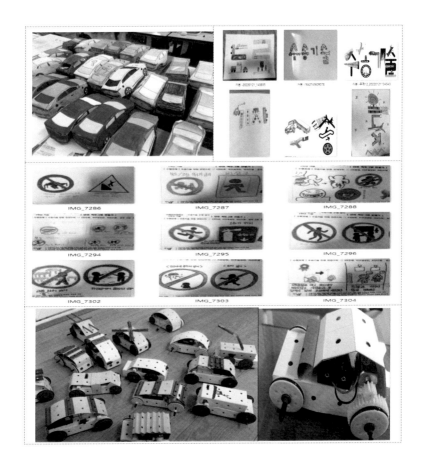

3부 기술 수업 톡(Talk)

교사의 공개수업 참관은 교과 전문성 향상하는 지름길이다.

다른 교과, 다른 학년, 다른 학교 선생님들의 수업 참관 적극적으로 권장한다. 특히 초·중·고 학교급 상관없이 권장한다. 시간이 없는데 언제 참관하느냐고 할 것이다. 교사의 적극적인 수업 참관 횟수가 많아지면 전문성은 더욱 향상된다고 생각한다. 평생 수업하는 게 교사의 삶이고 업이다.

교사는 교학상장(敎學相長)이고, 반면교사(反面敎師)이다.

교사의 전문성과 자신감 향상 길을 안내한다. 교육부나 교육청, 교육 방송 주관, 교육부 외 주관이든, 매년 수업 연구대회에 참가를 권장한다. 또는 대학교에서 개최되는 수업 연구대회에도 참석하길 바란다. 이유는 여러 가지지만 교사 수업 전문성 향상의 지름길이다. 수상이 목적이 아니라 수업 대회 참여하면 준비하는 과정에서 경험과 자신감과 만족이 생긴다.

데일 카네기는 "세상의 중요한 업적 중 대부분은, 희망이 보이지 않는 상황에서도 끊임없이 도전한 사람들이 이룬 것이다."라고 했다. 누구나 기회는 있다. 도전하면 기회가 보장되는 것이다. 기회는 준비하는 자에게 행운이 온다고 한다. 실수나 실패도 하지만 이게 전문성이다. 도전하여 성취하는 게 전문성 향상의 길이다.

기술 교사는 다양한 연수를 적극적으로 권장한다.

나는 매년 각종 연수를 많이 참석한다. 매년 연수 이수 시간이 수백 시간이다. 지역의 모임도 좋고, 전국단위 모임도 권장한다. 발명진흥회의 발명 연수, 저작권 위원회의 저작권 연수, 요즘 AI 연수, 목공 연수 등 다양하게 있다. 바쁘더라도 시간을 아끼면서 참석하면 기술 교사의 전문성은 나날이 성장한다. 그뿐만 아니라 교육에 관한 다양한 정보를 얻는다. 내 생각이고 경험이 모두 옳은 것만은 아니다.

모든 연수가 교직에 크게 도움이 된다.

연수는 교사 전문성을 향상하는 지름길이다. 배워서 남 주는 게 교사의 삶이다. 교사의 수업 전문성은 학생 교육에 발휘된다. 그래서 나온 말 다시 강조한다. 교육의 질은 교사의 질을 능가할 수 없다.

질문한다.

"교육제도의 질은 누구에게 달려 있을까?"

"교육 환경의 질은 누구에게 달려 있을까?"

공개수업

우리 선생님 공개수업
교실 뒤쪽에 학부모, 동료 교사, 관리자
무엇이 궁금한지 와서 본다.
쫑긋 세우고 관심 두고 쳐다보고
학습지, 에듀테크 대기하고
모두가 교사와 학생을 쳐다보고 기다린다.

우리 선생님 준비한 땀 맛이 제멋이다.
칠판엔 또박또박, 모니터는 짜잔
쓱싹쓱싹 소곤소곤 쫑알쫑알 소리 내며
뇌를 깨우는 생각하는 시간이다.
매일 아니라서 천만다행이다.
준비하느라 수고했다.

이제 마치니 속 시원하다.

수행평가 이대로 좋은가?

학교는 무엇 하는 곳인가?

지금의 학교에서 변해야 할 게 무엇인가?

무엇을 가르쳐야 할 것인가?

교육기관은 제대로 가르치고 평가하는 곳이다.

미래인재의 역량 함양하려면 과정 중심 수행평가와 깊이 있는 학습을 해야 한다. 지식과 기능 태도를 함양하도록 잘 가르쳐 왔다. 깊이 있는 학습은 핵심역량 함양이고 교육의 본질적인 생각이다. 시험을 위한 교육이 아니라 역량을 함양하는 교육이다.

모든 게 변화하는 시대이다. 과거보다 기술의 중요성은 나날이 강조되고 있다. 기술의 중요성은 모두 다 안다. 학교에서 기술교육도 변해야 한다.

기술교육은 어떻게 변해야 할까?

기술은 어떻게 가르쳐야 할까?

기술 수행평가 어떻게 할까?

3부 기술 수업 톡(Talk)

기술교육이 무엇일까?

중·고등학교 기술은 체험이고 경험이고 만들기 활동이다. 그동안 이것저것 만들기 실습 많이 했다. 과거 실습과 요즘의 실습 이야기를 한다. 좋은 경험, 나쁜 경험, 반면교사(反面敎師)로 삼길 바란다. 메이커 활동은 무엇이든지 경험하게 하는 게 기술 수업의 본질 중 하나이다.

학교에서 수행평가는 중요하다.

기술 교사가 교과서에 나와 있는 것을 수행평가하는 경우가 많다. 교사의 재량으로, 실습하는 게 당연하다. 교과서와 약간 차이가 나는 기성 세품을 사용해도 좋다. 창의적인 작품을 위하여 다른 제품을 사용해도 좋다. 모두 다 잘하고 있으니 칭찬받아야 할 사항이다.

그리고 수행평가 비중을 늘리는 학교도 많아지고 있다. 기술·가정 100% 수행평가하는 학교가 많다.

수행평가하려면 과제해결을 위한 재료가 필요하다.

많은 교사가 예산이 부족하여 제대로 된 실습을 하기 어렵다고 걱정이 많다. 물가도 오르고 예산은 고정되고 마땅히 할 실습이 없다며 종이로 된 형태 위주의 실습을 하는 학교도 있다.

기술 수행평가에 대하여 질문한다.

평가를 위한 실습인가?

흥미를 위한 실습인가?

지식과 역량을 함양하기 위한 실습인가?

예산이 없다고 종이로 메이커 실습해도 좋은 교육인가?

창작제품 만드는 실습인가?

대부분 교과서에 나와 있는 실습수업 내용과 평가를 한다. 창의적인 수업과 수행평가를 시행하는 교사도 많다. 학교의 주어진 예산에 맞게 적절하게 평가한다. 기술 이론 수업도 해야 하고, 수행평가를 해야 하므로 교사의 고민이 많다. 개인별 실습을 마치면 각자 보고서를 작성하고, 발표시키고, 평가하며, 개인별 작품을 평가한다.

나는 기술·가정 교과서 한 권이지만 기술과 가정을 따로 분리하여 기술만 가르쳤다. 최근 수행평가 비중은 1·2·3학년 모두 100%로 수행 평가한다. 가정교사로부터 좋지 않은 인상도 있었지만, 어쩔 수 없이 기술 실습을 많이 했다. 누군가 교과서 내용은 언제 가르치나 생각할지도 모른다. 교과 내용도 수업하고 평가한다. 강의식으로 수업하고, 수업 내용을 정리하여 제출하도록 했다. 보고서 제출에 주로 사용하는 방법이 마인드맵이나 비주얼싱킹 방법으로 정리하게 했다.

다양한 평가하여 모두 수행평가 점수로 반영한다. 중단원이나 대단원을 마치면, 단원 정리 보고서를 제출하라고 한다, 개인별로 제출하고, 이것 또한 수행점수에 반영한다.

[단원 보고서]의 점수의 차이는 A, B, C, D, E로 5점, 4점, 3점, 2점, 1점 이런 식이다.

이론 내용을 수업하고 구체적으로 정리하여 발표시키는 방법이다. 이 또한 평가에서 좋은 방법이라 생각하여 나름 이렇게 했다.

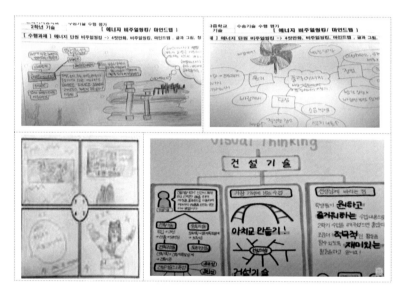

최근에는 2학년 주당 1시간 수업으로 건설기술단원 1학기에는 건축모형 제작하고, 2학기에는 수송 기술 자동차 제작에 PBL 수업한다. 2~3학년 모두 수행평가로만 100% 실시한다.

최근 건설기술 단원을 예를 들면 다음의 내용이다.

구상도 그리기, 평면도 그리기, 스케치업 프로그램으로 스케치하기, 건축모형 제작하기, 산출물, 보고서 작성, 발표 등 모두 점수에 반영했다.

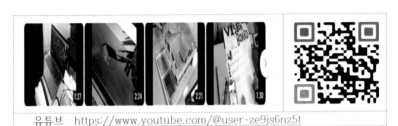

유튜브 https://www.youtube.com/@user-ze9js6nz5t

3부 기술 수업 톡(Talk)

교과 세부 특기사항의 기록이다.

　교사는 교과를 가르치고, 학급 담임으로서 해야 할 잡무와 행정업무가 많다. 가르치고 상담하느라 시간을 낼 수 없는 경우가 많아 늘 바쁘다.

　매 학기 교사는 가르친 교과목에 대하여 학생들의 생활기록부에 과목별 특기사항을 기록한다. 수업 시간 관찰하는 기록부를 만들고 표시한다. 수행평가를 리스트에 기록한다. 평가한 내용을 a,b,c,d 또는 동그라미, 네모, 세모로 교사 자신만이 등급을 평가해둔다. 이는 성취기준에 근거한 수행 내용 활동을 평가하는 것이다. 수업 시간 수행과정을 체크하고, 제출하면 학생 개인의 수행과정을 기록한다. 수업 시간 작품이나 산출물을 평가하고, 각종 보고서를 기록해둔다.

　학교생활기록부는 학생이 학교에서 생활한 내용이 서술형 또는 점수로 기록되어 있다. 초·중·고등학교의 모든 학교생활 이력 내용이 기록된다. 학교생활기록부는 학교생활의 성실도를 반영한다. 중·고등학교는 교과별 담당 교사가 수업한다. 중학교 자유학기제는 1학년 전교생의 전 교과 활동을 모두 기록한다. 학생부 기록은 수업 시간의 결과 평가를 입력한다.

기술 교사는 실습수업 준비에 바쁘다. 수업 시간 협동학습에서는 역할 분담을 잘해야 한다. 팀원끼리 공평하게 업무를 나눈다. 누군가는 사진을 찍고, 보고서 작성하고, PPT 발표하는 일을 나눈다. 학교생활기록부에 교과교사의 성취기준에 따른 성취 수준 내용과 성적이 기록된다. 성취기준에 근거한 실습의 산출물 평가를 기록한다. 수업 시간 성취하고 성장하는 내용을 관찰 기록하고, 보고서, 발표 PPT 평가를 기록한다. 사진과 함께 기록하면 좋을 텐데….

학교생활기록부는 진학에 영향을 미치므로 긍정적 내용만을 기술한다. 담임교사는 조례·종례 시간, 점심시간에 학급 교실을 순회하며 학생을 관찰한다. 교사는 점심시간도 바쁘게 관찰한다. 학교생활기록부 내용이 제공되지만 모든 학부모가 확인하여 자녀의 상황을 알도록 바랄 뿐이다.

학습 결과 이력 자료와 기록한 자료를 제공한다. 기록한 내용이 학생들의 성장이나 발달을 기록하는 데 단점을 거의 기록하지 않는다. '나중에 커서 잘하겠지!' 피그말리온 효과를 기대한다. 교사의 마음이 이렇다. 바다와 같은 넓은 마음뿐이다. 거룩하고 아름다운 사랑의 마음을 누가 알아줄까?

4. 신나는 기술교사 신바람 톡(Talk)

초·중·고등학교의 기술교육은 세상의 삶을 편리하게 하는 맛보기다. 삶에서 기술의 중요성을 이해하고 창의성을 함양하고 문제 해결 능력을 체험하는 것이다.

기술의 중요성은 나날이 강조되고 있다. 기술의 중요성은 모두 다 안다. 학교에서 기술교육도 변해야 한다.

디지털시대다.

일상에서 디지털 기기를 활용하는 사용자가 되는 것이다. 디지털 기기를 사용하며 생각하는 역량도 필요하다. 미디어 리터러시 소양 교육도 중요하다.

교사는 이를 함양하고 올바르게 사용하도록 가르쳐야 한다. 그래야 교육전문가로 인정받을 수 있다. 교사는 만능이 되는 삶을 살아야 하나 보다. 교실 수업 시간에 칠판에 판서하는 능력, 파워포인트 활용 능력, 동영상, 유튜브, 카메라, 인터넷 활용 모두 잘한다.

디지털시민성 역량을 함양한 인재가 필요하다.

인공지능 로봇이 등장한다고 너도나도 로봇 전문가 될 일은 아니다. 코딩 교육, 컴퓨터 활용 교육, 로봇 활용 교육 등은 교육의 수단이다. 목적이 아니다. 디지털시대 인재상은 컴퓨팅 사고력을 갖춘 능력과 글로벌 협력자를 필요로 한다.

에듀테크 활용하는 수업을 해야 하는 시기이다.

기술 활용하여 사고력을 키우는 수업 시간이 확대될 것이다. 에듀테크와 함께 수업을 변화시켜보려는 열정 넘치는 교사들이 참 많다. 에듀테크는 비대면 교육 현장뿐만 아니라 대면 교육에서 적용이 확산하고 있다.

Technology는 계속해서 발달한다.

똑똑한 기술을 따뜻하게 사용하는 교실이 되길 소망한다. 똑똑한 기술을 잘 활용하는 따뜻한 교사, 똑똑하고 따뜻한 인재를 양성하길 기대한다. Technology을 이용하는 수업 시간, 에듀테크 활용하여 행복한 수업 시간이 되길 희망한다.

기술공작실 운영하다

　교사는 반복하는 삶이다.

　하루 한 달, 일 년을 지내다 보면 어느덧 세월이 흘러간다. 기술 교사는 다른 교사들에 비하면 세상의 변화에 빠르게 적응하며 변화에 앞장서는 경우가 많다. 대다수 교사는 학교에서 수업에 지치고 힘들고 업무에 치이다 보니 주변을 돌아보지 못하고 생활한다.

　과거 '지식경제부의 산업기술진흥원'에서 기술의 중요성과 기술의 마인드 함양을 위한 청소년을 위한 '기술공작실'을 공모했다. 전국의 많은 기술 교사가 공모하여 각각 나름의 기술체험 및 견학, 독서 활동 및 강의, 기술 아카데미 구호로 시범학교를 운영했다. 그 당시에는 기술 실습 예산이 별로 없어서 신청했다. 나중에 결과물 보고서를 제작하고 보고해야 했다. 힘들고 어렵고 귀찮았지만, 기술 수업 시간 실습을 하면서 많은 것을 만들었다. 당시 운영 결과에 대한 보고서 평가에서 좋은 결과를 얻고 수상과 함께 추가 예산을 지원받았다.

특히 조립형 휴머노이드 로봇이라는 게 처음 등장해서 로봇 재료를 구매하여 프로그램하여 [EBS 로봇파워] 방송에도 출연하였다. 당시에는 기쁨과 만족에 시간 가는 줄 모르고 학생들과 주말의 시간을 보냈다.

EBS 로봇파워

[EBS 로봇파워] 방송 초창기에는 배틀 로봇과 휴머노이드 형식으로 진행되었다. 녹화 장소는 인천 미추홀구청(당시 남구청) 로봇 전용 경기장에서 진행이 되었다. 참가 자격은 로봇을 직접 제작, 조종할 수 있는 사람이면 누구나 가능했다. 참가 분야는 휴머노이드 로봇과 주니어 로봇이었고, 녹화일시는 격주 토요일마다 오전 10시부터였다. 인천에서 실시하니 참가하기 편리해서 참가했다.

그뿐만 아니라 인천에 있는 부평자동차 공장 견학과 캠프 활동에 사제동행으로 실시했다. 기술 교사로 근무하며 선택받은 시범학교 운영이다.

3부 기술 수업 톡(Talk)

방과 후 활동 창의 공학 교실 운영

기술공작실 동아리 학생들은

여러 가지 공구를 사용한 RC 자동차 제작하기, 목공 교
실, 전통 한옥 만들기, 움직이는 기계 장치 만들기, 천연비
누 만들기, 전자교실 운영, 로봇 및 전기화로 제작하기 등
과 같은 다양한 만들기 활동과 함께 부천에 있는 한국 영
상진흥원의 만화 박물관, 로봇 박물관 견학 활동도 했다.

https://www.newstown.co.kr/news/articleView.html?idxno=103809

뉴스타운, 교육 학교, 2011.9.28

비즈니스(Business) 스쿨(School)

과거 비즈쿨 시범학교 2년 운영과 활동에 대한 경험이다.

청소년 비즈쿨 운영학교(센터) 모집 공고가 있었다. 청소년 기업가정신 확산을 통해 창의성과 도전 정신을 갖춘 융합형 창의 인재 양성을 선도할 「청소년 비즈쿨」 운영학교(센터) 모집 계획이다. 당시는 2007년 중소기업청의 주관행사였던 것으로 기억한다.

비즈쿨(bizcool)은 비즈니스(Business)와 스쿨(School)의 합성어로 학교 교육과정에서 창업을 배운다는 의미다. 주로 특성화고등학교를 통해 활성화되었고, 근무하는 학교가 시범학교로 선정되어 주관하여 운영하였다. 우리나라 초·중·고등학교에서 연구 시범학교 운영하면 다양한 혜택을 준다. 2년간 예산 지원 및 참여 학교의 대부분 교사에겐 승진 가산점을 부여받는다. 이때는 시범학교가 거의 없던 시절이라 관심이 많았다. 학교에서 주로 업무를 담당했다.

요즘에는 시범학교 운영하려면 교내의 의견수렴을 거쳐야 한다. 일부는 찬성 비율이 높아야 선정되므로 관리자와 교사의 상호 협조가 대세이다.

3부 기술 수업 톡(Talk)

전 교사의 협조가 있어 비즈쿨 연구 시범학교 업무를 추가로 하고, 좋은 경험이었다.

학교에서는 정규 수업을 운영하고 시범학교를 운영하면 힘들다고 하지만 학교 교육과정을 내실 있게 운영하면 좋은 점이 많다.

그래도 업무가 있으니 바쁜 것은 사실이다. 그렇지만 시범학교 몇 년 운영하거나 참여하면 배우는 게 엄청 많이 있다. 관련 연수 받고 시범학교 운영하는 전국의 교사들과 관련 정보를 나누며 공부하고, 시범학교 운영 추진하면서 인간관계 느끼고, 수업의 의미를 깨닫게 된다.

2011년엔 근무하는 학교에서 '벤처·창업 대전 비즈쿨 페스티벌'에 인천지역 대표로 참가했다. 7)

2011년 비즈쿨 시범학교 창업 대전 참여

---

7) 인천투데이
http://www.incheontoday.com/news/articleView.html?idxno=19073

교과 교육이 시험을 보기 위한 가르침에서 미래에 관한 생각과 사고를 하게 되었다. 추가로 개인적인 생활 대신에 출장이 많아지고, 관련 행사를 해서 평일 오후와 토요일에도 추가로 학생들과 활동하거나 근무하게 되는 경우도 많았다. 연구학교 운영은 보고서를 작성하고서 그동안 활동사진을 정리하고 보고서를 제출했다.

기아자동차 현장 견학 체험학습

연구학교 운영하면, 기존의 연구학교 내용도 읽고, 참관하여 보고 느끼며 업무 추진 능력도 향상된다.

보고서 작성에 글쓰기 능력도 향상되고, 수업에 어떻게 적용할까 연구하고 수업을 공개하느라 바쁜 생활의 연속이다. 한마디로 힘들지만, 연구학교 운영을 마치면 보람과 성장, 성숙함을 느낀다.

3부 기술 수업 톡(Talk)

생각지도 않은 여행의 기회도 생기고 견학의 경험을 얻는다. 연구 시범학교 운영 안 하고 교직을 수행해도 된다. 다만, 때가 되면 얻는 게 매우 많다. 경험해 봐서 안다. 교직의 만족도를 더욱더 크게 느낀다. 교직은 다른 게 아니고 다양한 경험과 다양한 체험이 행복한 교직을 하게 된다.

2009~2011년 비즈쿨 시범학교 운영

이 글도 경험에서 나누는 글이다.

수업이 즐거우면, 수업이 행복하면 자신 선택의 폭이 넓어진다. 지금도 교실에서 수업하시는 모든 분이 있기에 우리나라의 미래가 있는 것이다.

동아리 방과후 학교 수업

교사는 정규 수업 외 학생들의 창의력과 소질 계발을 위한 동아리를 운영할 수 있다.

의무 사항은 아니고 자율적인 동아리이다. 동아리 모집은 원하는 학생들만 구성되기 때문에 교사가 봉사하는 시간이다. 무료 봉사도 있지만, 학교에서 약간의 강사비와 재료비를 지원하는 경우가 많다. 동아리 활동은 교사가 조직하기 나름이다. 과거 로봇동아리, 목공 아카데미를 운영했다.

목공동아리는 제일 중요한 게 재료비와 도구 공구 기계의 사용 시 안전이다. 특히 목공동아리는 공구나 기계의 소음과 니스칠의 경우 냄새에도 신경 써야 한다.

목공 아카데미 운영에선 목공 재료 구매해서 가는 실톱, 드릴링머신을 주로 사용했다. 책꽂이, 메모꽂이, 도마 만들기, 시계 만들기 등 목공동아리는 무엇을 만들든지 만족도는 매우 높다. 이유는 만든 것을 각자 가져가기 때문이다. 방과 후 학교는 특기 적성 교육이다. 희망자를 선발하여 수익자 부담으로 운영하는 때도 있다.

요즘 초·중·고등학교 목공 교육에서는 다양한 생활용품을 주로 만든다. 일부 학교 동아리에서는 목제 자동차도 만들며 교내에서 타고 다니며 자랑도 한다.

교사들의 '창의 목공 연구회' 네이버 밴드에 가입하여 살펴보고 참고하기 권장한다. 목공 교육과 학생 목공 교육에 대한 다양한 정보화 자료를 공유한다.

'창의 목공 연구회'

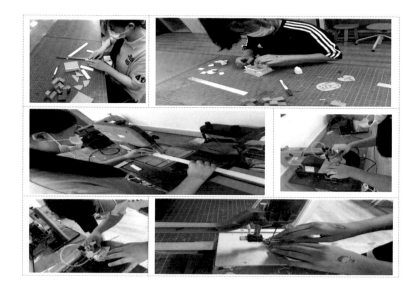

저작권체험 교실

저작권체험 교실도 운영했다.

매년 2월 말이나 3월 초 한국저작권위원회의 공문을 보고 각 학교에서 신청하면 전국에서 모집하고 지역의 초중고 안내하여 선정된다.

저작권에 대하여 학생들에게 교육한다. 특히 저작권의 종류와 표어 만들기, 저작권 퀴즈 풀기, 저작권 게임 등 다양하게 운영했다. 6차시 이상 운영하고 체험 교실 보고서를 제출하는 것이다.

그동안 10여 년 운영했다. 거의 매년 학생 교육하다 보니 저작권 관련하여 교육할 수 있어 좋았고 보고서를 작성하는 게 어렵지 않았다. 지식과 태도 함양 사진을 찍고 경험담과 수업 계획 수업 내용을 작성하여 제출한다. 저작권 수업자료 제공

저작권체험 교실 운영에 대한 보상으로는, 시간당 강사비를 교사에게 지원해준다. 교육청의 자체 학교 정보 윤리 실적 보고에도 활용하고 있다. 나도 저작권체험 교실 운영 보고서 제출에서 최우수상 받고 상장과 상금을 받았다.

저작권체험 교실 사례

저작권 개념 중요성, 저작권 표어 제작

저작권 마인드맵과 핸드북 제작

체험학습 거울 버튼 만들기 완성

저작권 교육 설문조사 통계

미래 자동차 학교

미래 자동차 학교 프로그램은 미래 모빌리티 분야에 대한 이해 높이고 관련분야 진로를 탐색할 수 있는 현대자동차 회사에서 주관하여 운영하는 프로그램이다.

중학교 자유학기제에 적합한 17차시 자료를 제공한다. 미래 자동차 학교의 수업을 통해 자동차 대한 관심을 유도하고, 미래 진로를 탐색하는 기회를 제공한다. 자유학기제, 창의적 체험활동, 동아리 활동, 교과 수업, 메이커교육 등으로 자유롭게 활용할 수 있다. 1학기 주당 1~2시간 교사가 수업을 운영한다. 지금까지 2년간 운영 즉 4회를 운영했다. 그동안 자유학기제 미래 자동차 학교 운영 경험을 통해 수업 적용했다.

수업 관련 재료와 PPT 영상자료까지 제공해 주는 프로그램이다. 선정되는 교사는 수업 방법에 대한 연수도 시행한다. 30명분의 수업재료가 모두 무료로 제공된다. 수업 시간의 즐거움과 이 얼마나 좋은가? 한번 도전해서 수업에 활용하기 기대한다.

교사의 의지가 우선 중요하다.

다만 교사의 수고는 있다. 선정되기 전 계획서를 작성하고 제출해야 한다. 도전해서 선정되길 기대한다. 선정되면 종일 연수도 받고, 매 수업을 사진 찍어 추진하는 미래 자동차 밴드에 올리는 것이다. 이 또한 즐겁고 재미있으며 다른 학교 선생님의 수업을 참고하니 배울 점이 많다.

수송 기술 단원의 흥미와 재미를 느낀다. 수업에 정보를 제공해 주므로 상호 간 배우는 좋은 기회가 된다. 미래 자동차 학교 수업의 작품은 학교 축제 기간에 전시할 게 많아 학생과 교사 모두 만족하는 수업이다

동아리 학생들 모집은 경쟁이 치열하게 모집이 된다. 반별로 한정해서 모집할 수 있다. 처음엔 희망자만 모집해도 순식간에 차고 넘친다. 그동안 자유학년제 으뜸 수업이다

미래 자동차 체험 교실 운영에 대한 보상인 다음과 같다.

1. 수업자료의 제공(PPT, 동영상 등)
2. 수업재료의 제공(자동차와 지점토, 미래 자동차 교재 등)
3. 우수학교에 대한 상장과 상품
4. 지도 교사의 연수[8] 기타….

_____

[8] https://cafe.naver.com/미래 자동차

2019년 미래자동차학교

스마트시티를 이끄는 미래 자동차	미래자동차학교 Last
17회	1. 미래자동차학교 마무리 - 설문지 작성하기 2. 미래자동차학교 - 4행정기관 앱 공부하기 3. 미래자동차학교 - 컴퓨터 자동차레이싱 게임하기

미래자동차 수업 마무리 　　　　미래자동차 설문지 작성하기

미래자동차학교 4행정 앱 공부하기 　　4행정 기관 작동과정 요약 작성하기

미래자동차 컴퓨터실에서 자동차 레이싱게임 하기

느낌 소감

2019년 1학기 미래자동차학교 자유학년제 수업 마지막시간~
이제부터는 학교생활기록부에 활동과 성장에 대한 내용을 입력해야하는 일이남았다.
그동안 1학기 자유학기제 주제선택 미래자동차학교 운영에 쉽게 수업 진행하다보니
좀 더 친절하게 할걸하는 아쉬움 이네요 ㅠㅠ 수업 중 참여하는 학생들에게 오늘 완
성못하면 청소시키고 완성하고 집에 가라고 한 것 등 생각하니~.... 그렇지만 미래
자동차학교 견학과 교구활동한 여러 가지 수업은 나중에 자동차 관련 분야의 진로선
택에 도움이 되리라 확신을 하면서 마무리 합니다.
현대 미래자동차학교 운영진 임직원님 모든 분들께 감사를 드립니다.
미래자동차학교 2학기에도 GO GO~
교사는 쉽게 , 학생은 알차게 미래자동차 파이팅^^

미래 자동차 선정되는 학교는, 수업재료와 다양한 파일을 메일로 지원해준다. 그뿐만 아니라 활동 우수학교로 선정되어 상장과 상품을 받았다. 학생과 교사 모두 보람과 만족하는 미래 자동차 학교이다.

3월 초에 공문 확인하여 지원하고 도전하여 행복한 학교생활 하길 기대한다.

창의적 체험활동은 특기를 배운다.

창의적 체험활동 시간의 운영사례다.

창의적 체험활동 수업 시간은 기술 교사로 수업하기엔 즐겁고 행복한 시간이다.

기술 교사가 원하는 주제를 가지고 정규 수업 시간에 동아리 형태로 한 달에 한두 시간 운영하기 때문이다.

과거 경험은 다양했다.

자동차 반, 로봇 반, 저작권 반, 목공 반, 기술 아카데미, 기술공작 반, 오토마타 반, 호모파베르 반 등 이름은 달라도 내용은 교사의 상황과 학교 기술실의 재료에 따라 적절하게 운영했다.

첫 수업 시간에 만들고 싶은 것을 골라서 5가지 선택하게 하고 수업 시간마다 만드는 것이다. 학생들 만들고 싶은 게 개인별로 취향이 다르므로 어쩔 수 없는 상황이다.

3부 기술 수업 톡(Talk)

발명 수업사례이다.

자유학기제 시간에는 정규 수업인 기술 시간과 관련하여 자유학년제 수업 시간에 발명 수업을 운영도 경험했다.

발명 시간은 기술 교과의 내용을 가르치면서 수업한다. 현재 기술·가정과 에서는 교사의 전문성과 역량에 따라서 자율적으로 운영해도 된다. 다만 학교에서 발명 수업은 발명 영재 수업과 다르다. 기술 교사는 지역 공동 발명 영재 강사지원을 할 수 있다. 발명 관련 연수를 이수하고 공부하면 발명 분야의 능력이 향상된다.

'발명교사 인증제' 자격시험에 도전하여 자격을 취득하길 바란다. 발명진흥회에서 1년에 2번 실험이 있으며 1급 자격을 취득하면 특전도 많다. 발명 영재 수업을 하면 수업의 맛을 느낀다. 영재들은 뭐가 달라도 다름을 느끼며 집중력과 과제 집착력이 우수하다. 교사의 행복을 느낀다.

기술 교사는 발명 대회에 참석을 권장하고 학생을 지도하여 참가 권장한다.

수업 시간에 가르치는데 대회 권장은 당연한 것 아닌가?

왜 가르쳐야 할까?

대회가 목적이 아니라 관심과 열정이다.

대회에 참가하여 세상을 보다.

기술 교사는 교내 기술 관련 대회를 실시 하여 학생들에게 시상하거나 상품을 줄 수 있다. 기술 교사가 과학의 달 행사에 함께 실시하는 방법도 좋은 방법이다. 협조하면서 기술과 행사도 하니 협력 교사 된다.

교내대회 사례이다.

교내 3D 대회를 실시하여 스케치업 프로그램을 활용한 건축모형 제작 설계대회이다. 지금도 수업 시간 활용하고 있으며, 너무나 좋은 프로그램이니 한번 해보시라고 권장한다. 물론 다들 잘하시고 있다고 생각한다. 컴퓨터실, 노트북에 설치하여 수업해도 좋고, 학생도 만족하고, 교사도 만족하는 수업이다. 교내대회는 학생도 좋고, 학부모도 좋은 것이다.

단지 추진하는 교사의 정성과 노력이 필요하다. 수상 작품 모두 만족하면 대회의 취지를 살린 것이다. 건축모형 잘 그리고, 교내대회 실시하여 상장과 상품을 주는데 누가 싫어하겠는가?

3부 기술 수업 톡(Talk)

로봇 대회도 마찬가지이다.

과거 경험 로봇 파워 참가로 교육 방송 출연한 경험이다.

EBS 로봇파워 출연 로봇 잡지 기사 내용 9)

2008년 12월 테크마니아대회 로봇 격투기 참가
2009년 1월 부천로봇페스티벌 격투기 참가
2009년 8월 대한민국 로봇대전 격투기 참가
2009년 2월 26일 EBS 로봇파워 참가 우승
2009년 8월 15일 EBS 로봇파워 참가 우승

초창기에는 베틀 로봇과 휴머노이드 형식으로 진행되었다.

9) 월간 로봇 블로그 기사
https://m.blog.naver.com/PostView.naver?isHttpsRedire
ct=true&blogId=dodorobot&logNo=90075611949

교사도 참여 권장한다.

수업자료 공모전을 매년 개최한다. 열정이 있는 교사들이 많이 참여할 기회는 늘 제공하고 있다. 교사의 능력함양과 전문성 향상을 위한 교육자료전, 수업 연구대회, 발명 대회, 코딩 관련 등 각종 교사에게 주어지는 대회가 많다.

"도전하느냐?", "마느냐?"
"다음에 하지 뭐 하고 미루느냐?"이다.

도전하여 좋지 못한 결과를 얻을 수도 있다.

이는 좋은 배움이요 깨달음이다. 다음엔 더 잘하면 되는 비법을 알았기 때문이다. 지금도 독서와 글쓰기 하며, 그동안 경험을 가지고 정보를 제공하는 일이 감사할 따름이다.

기술실 관리

기술 교사는 다른 교사에 비해 업무가 하나 더 늘어난다.

기술실 또는 기술·가정실을 담당한다. 기술발명실, 메이커스페이스, 무한상상실, 기술공작실, 명칭은 다르지만, 특별실 담당한다. 방송실 업무도 마찬가지이다. 각종 기계나 공구 비품 관리도 하고 청소 및 기자재 담당하는 일이다. 모든 교사가 담당하는 건 아니지만 특별교실의 담당 교사가 있다. 과학 교사, 체육 교사도 마찬가지다.

기술실 관리는 주어진 예산으로 공구와 재료를 구매하고 폐기하는 일을 해야 한다. 예산이 부족하면 학교에서 추가로 예산을 신청하는 추경을 해서 확보하는 게 좋다. 예산은 언제나 부족하다. 실습 예산을 확보하는 일은 중요하다. 충분한 실습 예산을 확보할 방법을 구상한다.

주어진 공구나 재료를 사용하면 된다. 단 공구나 장비가 없으면 실습하기에 부족함이 많다. 기술 교사로서 중요한 일의 하나이다.

수업 시간 실습 방법에는 여러 가지가 있겠다.

경험 일부를 말한다. 일단 싼 재료 구매해서 실습하는 방법, 꾸러미 제품 구매하여 실습하는 방법, 모두 병행하는 방법이 있다. 또는 외부 기관에서 행하는 사업에 지원하여 확보하는 방법이다. 또한 실습재료는 빨리 구매하여 수업하는데 여유 있게 준비한다. 메이커 실습은 교사가 미리 만들어 보는 일이다.

또한 기술실 청소해야 한다. 수업 시간에 한 시간 실습하고 나면 정리 정돈을 하지 않으면 지저분하다. 매시간 청소할 시간도 부족하므로, 수업 시간에 조별 자리는 조에서 청소하는 시간을 확보해야 한다. 수업 시간에 청소 시간 확보하지 않으면 마지막 수업들은 반이 청소하게 된다. 나는 수업 후 정리 정돈하지 않는 조는 감점시키면 제대로 잘한다. 특별하게 청소할 땐 희망자를 모집하여 따로 보상으로 사탕이나 먹을것을 주거나 실습재료를 상품을 주는 때도 있다.

기술실에서의 실습은 안전하게 해야 한다.

실습하다 보면 공구나 도구에 의하여 다치는 경우가 많이 발생한다. 칼로 베거나 글루건에 화상을 입는 경우가 다반사이다. 안전이 제일이다. 가벼운 상처는 괜찮지만, 칼로 손가락 베어져 꿰매는 일도 발생한다. 보건실 연락하고 병원에 가서 걱정한 경험도 있다.

3부 기술 수업 톡(Talk)

안전을 다시 강조한다.

노구나 공구, 기계는 제대로 사용하면 편리하게 사용할 수 있다. 그렇지만 실습 중에는 사고가 발생한다. 일부 교사는 공구나 기계를 사용하지 않는 기본적인 실습을 골라서 하기도 한다.

가끔 톱을 사용하다가 다치거나, 글루건으로 조립하다가 글루건심에 의해 화상을 입기도 했다. 이땐 수업이고 뭐고 학생을 나무랄 수도 없고 그냥 간단한 상처이길 바랄 뿐이다. 이루 말할 수 없는 사고가 자주 발생했다. 다치고 나면 이런 실습 안 하려는 생각도 하게 된다.

안전교육은 교육일 뿐이다. 최선을 다해 안전 교육해도 실습하면 다치는 학생이 발생한다. 학생이 다치면 학교안전공제회를 많이 이용하느라 더욱더 바쁘게 지낸다.

안전이 제일이다.

SW(SoftWare) 선도학교 코딩 수업

4차 산업혁명 사회는 AI 및 SW를 중심으로 움직이는 사회이다. 이에 인공지능 및 관련 소프트웨어교육은 지원을 많이 한다. 최근 초·중·고등학교에 AI 및 SW 교육과정을 편성하고, 선도학교를 운영하고 있다.

학교 선도 교사가 선정되고 학교에 예산 지원을 한다. 강사비 지원 및 재료비 지원, 장비 교구 구매하여 교육하기에 적합하다 운영하는 학교는 연수 및 홍보를 하고 수업 적용하여 보고서를 작성한다.

학생과 교사 모두 보람과 만족하는 인공지능, 소프트웨어 선도학교이다. 3월 초에 공문 확인하여 지원하고 도전하여 행복한 학교생활 하길 기대한다. 교사의 적극적인 앞장서고자 하는 의지가 중요하다. 2년 운영하고 지역 축제나 연합축제 부스를 운영하고 예산 및 재료비를 지원해준다. 교사의 열정과 학생들의 참여가 필요하다. 코딩 교육은 미래 인재에게 좋은 경험을 제공하는 것이다.

나도 근무하는 학교에서 2년간 신청했다. 기술 교사 자격증이 전공이다. 과거 전자계산 부전공 자격증이 있어서 정보 교과를 가르치면서 경험했다.

코딩 관련 교구의 사용법 시연회도 참석하면서 프로그램에 대하여 많은 것을 배웠다. 교사의 연수도 개설되어 연수하느라 방과 후, 방학 기간에 합숙 연수까지 하면서 사용법에 대한 기억이 새롭다. 서울과 대전에서 합숙 연수도 모두 참석하였으며, 코딩 관련 언어를 배운 내용이 많았다.

마이크로비트, 햄스터 로봇, 아두이노, 코드이노, 자율주행 로봇 등 다양한 교구를 구매해서 정보 및 기술 수업 시간에 활용했다.

2년 차 소프트웨어 선도학교 선정되어서는 신규 정보 교사가 발령으로 위임하고 협조하여 진행했다. 정보 신규교사가 전담해서 교육청의 체험 부스도 운영하는 경험도 했으며, 이 또한 예산도 지원되어 즐겁고 재미있는 경험이었다.

지속가능발전과 함께하는 체험수업

    환경부에서는 환경교육프로그램의 프로그램을 지정하여 하교에 다양한 자료를 제공하고 보급하고 있다.

    환경교육프로그램의 세부적인 내용은 아래 사이트에 있다.

https://keep.go.kr

    학교 현장에서 다양한 환경교육이 운영될 수 있도록 자료 및 교구를 무료 지원해준다. 체험과 놀이 형 환경교육 교구들은 선착순으로 지원해준다. 다양한 환경 교구를 무료로 대여해주고 사용 후 반납해야 한다.

또한 사용자가 쉽게 교구를 활용할 수 있도록 교구 활용 교사 연수, 동영상과 설명서 보급을 하고 있다.

레고 교구 및 다양한 자료가 선착순으로 대여한다. 회원 가입하고 신청하여 수업 시간 적극적으로 활용하길 바란다.

https://keep.go.kr/front/lend/LendList.html

레고블록 이용한 나만의 집 만들기

 레고 교구를 대여하고 수업 시간에 활용했다. 레고 교구는 건설기술 수업 시간에 창의적인 건축모형 제작하기를 팀별로 조립했다. 건설기술의 주택모형 제작단원의 동기유발로 흥미 있게 수업했다. 공개수업도 이 시간에 했다. 즐겁고 신나게 만들고 발표했다.

수업 장면

레고블록 활용 주택모형 제작하기 – YouTube

3부 기술 수업 톡(Talk)

레고 모형 주택 만들기 수업을 마치고 다음 차시에는 주택 모형 만들기에 대한 보고서를 작성하고 발표했다.

수업은 구상과 설계, 제작, 보고서 작성, 발표 이런 과정으로 진행했다.

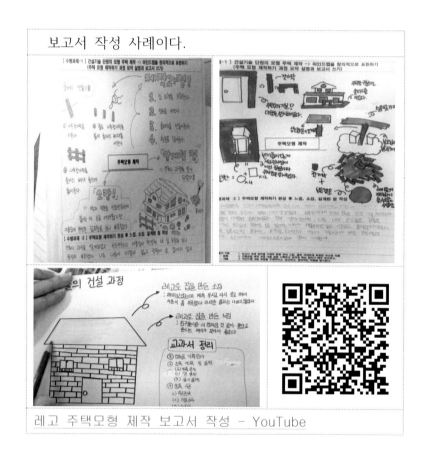

보고서 작성 사례이다.

레고 주택모형 제작 보고서 작성 - YouTube

5. 수업의 즐거움이다

교사는 누구나 다 수업을 잘하려고 고민이 많다.

현재 고민을 누구에게 이야기하고 답을 찾을 것인가?.

좋은 수업 방법 등에 관해 이야기할 대상이 필요하다. 특히 수업에 관한 관심과 열정도 중요하지만, 경험 나누기를 권장한다. 친구나 동기도 좋다. 선배도 좋고 멘토가 있으면 더욱 바람직하다. 비슷한 경력의 교사들이 모여 이야기를 나누는 것으로도 큰 의미가 있다.

교과에 대해 진지하게 고민하는 교사는 고민하는 만큼 교과 전문성이 향상된다. 동료와 함께 수업 고민을 하면 해답은 나온다. 성장하고자 열정 있는 선생님들이 많다. 모두가 함께 학생들을 위해 고민하고 있다는 것이다. 학교 내 또는 학교 밖의 모임을 통해, 함께 성장한다는 마음으로 배우는 게 제일이다.

다시 강조한다. "함께하면 멀리 간다."라는 말이 진리다.

3부 기술 수업 톡(Talk)

배우지 않으면 성장하는 게 아니라 멈추어 있는 거다. 성장하고 성숙한 교사 되려면 노력해야 한다. 하고 싶고 잘하는 일만 하면 금상첨화지만, 교사는 하기 싫은 것도 해야 하는 삶이다. 교사는 배워서 남 주는 삶이지만, 보람과 만족이 기다린다.

교사가 되면 누구나 승진하는 것은 아니다. 승진도 공부하고 노력하는 것이다. 준비하는 과정이 힘들고 고된 것 인정해야 하며, 그 길을 따라가려면 그렇게 해야 한다. 적성에 맞지 않을 수도 있지만, 전문성이 갖추는 것이다. 수업은 자기 자신과의 싸움이며 학생들을 가르치는 것이다.

과거와 비교해 오늘날 교사는 존중되지도, 존경받지도 못하고 있다. 어찌할 도리가 없다. 각자도생이다. 교사가 지식과 정보의 전달에 머물고 있으면 되겠는가. 사랑과 열정은 평생 품어야 할 사항이다. 가르치는 게 즐겁고 재미있다면 연구하고 공부하는 게 답이다. 그만두지 않을 바엔 "피할 수 없으면 즐겨야 한다"라는 말이 실감 나는 요즘이다.

> "수업이 바뀌면 학생이 바뀌고,
> 학생이 바뀌면 학교가 바뀌고,
> 학교가 바뀌고, 교육이 바뀐다."

이 믿음으로 수업 혁신에 집중하는 게 교사다.

맹자(孟子)의 《진심편》>에 군자삼락(君子三樂)이라는 글이 있다.

"君子 有三樂

(군자 유삼락)

父母俱存 兄弟無故 一樂也

(부모 구존 형제 무고 일락야)

仰不愧於天 俯不怍於人 二樂也

(앙불괴어천 부부작어인 이락야)

得天下英才 而敎育之 三樂也

(득천하영재 이교육지 삼락야)

군자에는 세 가지 즐거움이 있으니,

첫째, 부모가 모두 살아계시고 형제들이 무고함이요,

두 번째, 하늘에 부끄럽지 않고, 사람에 부끄럽지 않음이며,

세 번째, 천하의 영재를 얻어 가르치는 것이다."라고 했다.

좋은 말과 좋은 글은 깊이 새기고 실천하는 게 유익하다.

교사로서 특히 세 번째 즐거움을 지니며 삶을 행복하게 지내길 소망한다.

[배움 톡톡] 채널 안내

　최근의 기술 수업에 대한 일부 자료를 사진을 찍어 안내하는 유튜브이다. 영상 내용에서 각자 수업 아이디어 얻기를 기대한다.

> 　[배움 톡톡] 채널 방문을 진심으로 환영합니다.
>
> 　안녕하세요.
>
> 　평생교육 시대 배움을 나누는 내용으로 기술 수업 시간
> 적합한 조언을 알려드리는 즐거운 채널입니다.

기술 블렌디드수업에 관한 영상 안내

기술과 블렌디드 수업사례에 대한 동영상 안내이다.

정규 수업 시간, 자유학기제, 특별활동, 동아리 관련 수업이나 수행평가에 참고하시기 바란다.

00:00 목차 및 인천형 블렌디드 수업 안내
05:28 나만의 아크릴 LED 전등 만들기 안내
07:58 1, 2차시 안내
11:45 3, 4차시 안내
14:43 5, 6차시 안내
18:40 발표 및 평가하기
21:15 기록 및 마무리
블렌디드 수업 동영상 레시피 10)

---

10) 인천광역시교육청 (중등_기술가정 블렌디드 수업 레시피)
https://www.youtube.com/watch?v=JdezK8KYpJQ

3부 기술 수업 톡(Talk)

모이면 배울 게 많다.

　전국 기술 교사 모임을 안내한다.

　전국 기술 교사 모임은 90년대 후반기 기술교육의 변화를 위하여 태동하였다. 기술 교사가 대한민국 미래 교육의 주인공이라고 느끼게 해줄 만큼 감동 사이트이다. 기술 교사의 역사와 발자취를 알 수 있는 사이트이며, 수업자료와 창의적인 수업 방법을 제공받는 곳이다.

전국 기술 교사 모임 (http://ktta.or.kr/)

　최근 학교 교육에서 기술교육이 인정받고 있는 게 현실이다. 가끔 미래 교육 홍보하는 영상이나, 문구를 보면 과학기술의 중요성을 홍보한다. 지금 학교 현장은 기술 수업 시간이 매우 부족하다.

학교 현실은 국어 영어 수학 시험 위주의 교육이다. 지금 우리나라는 선진국에 진입하였으니, 앞장서도록 미래인재를 양성해야 한다. 그러려면 '무엇을 해야 하나?' 묻지 않을 수 없다. 요즘 학생 핸드폰으로 터치는 잘한다. 보기는 잘한다. 백문이 불여일견이다. 그렇지만 기술이 백문이 불여일견인가? 백견이 불여일행임을 더욱 강조한다.

교육의 목표가 '~설명할 수 있다'이다. "~해야 한다.", "~한다.", "~ 제작한다.", "만든다."가 많아야 한다고 생각한다.

'빨리 가려면 혼자 가고 멀리 가려면 함께 가라'라는 아프리카 속담이 있다. 과거에도 현재도 앞으로도 마찬가지다.

기술 교사는 강한 자가 살아남는 게 아니라, 살아남는 자가 강한 자임을 강조한다. 학교에서 기술 교사로 수고가 많음을 다 안다. 다른 누가 알아줄까?

기술교육은 미래 교육이다. 전통 기술도 배우고, 현재 기술도 익히고 인공지능, 메이커 창작자로 살아남는 게 기술 교사이다. 배우려면 부지런해야 하며, 주변의 교과 모임과 활동에 관심을 가지고, 적극적인 참여를 권장한다.

기술 교사는 상호 간 집단지성이 중요하고, 자기 계발하고 공유하는 게 필요하다. 배워서 남 주는 게 교사의 삶이다.

전국 기술 교사 모임은 교사들의 자발적인 의지로 이루어졌다. 모임은 교직의 전문성을 높일 수 있으며, 지속적 학습을 통해 교과 중심 전문학습공동체를 대표한다.

미래사회의 변화에 대비할 수 있는 역량 함양을 기대하는 모임이다. 수업 혁신의 의지를 가진 회원들이 직접 체험하고 사례를 나누며 배울 수 있는 터전이다. 교육청과 각 지역, 학교의 기술교사의 역할은 막중하며, 함께 모임을 유지하는 게 개인의 발전이요, 교과의 발전이고, 교사가 성장하고 성숙해지는 지름길이다. 나만 힘든 게 아니라 모두 힘들다. 내가 적극적 긍정적 삶이 중요하다. 바로 동료가 힘이 되고, 내 수업의 지지지기 되는 기술 수업전문가 뇌는 모임으로 파이팅을 외친다.

미래의 교사가 갖추어야 할 역량은 무엇인가?

"교육의 질은 교사의 질을 넘을 수 없다"라는 명제는 시사하는 바는 영원하다. 원격 연수나 집합 연수에서 의미 있는 배움을 즐기는 삶으로 지내면 된다.

기술 교사는 전국 기술 교사 모임의 사이트에서 좋은 자료를 활용하기를 바라며, 연구하고 실천하는 교육실천가이다.

스스로 배울 생각이 있는 한,
현세 만물 중 하나도
스승이 아닌 것은 없다.

사람에게는 세 가지 스승이 있다.
하나는 대자연,
둘째는 인간,
셋째는 사물이다.

- 루소 -

3부 기술 수업 톡(Talk)

4부.

행함으로 미래를 여는
교육실천가

교육 실천가

모르면 배우고,
앎은 삶이고,
삶은 앎을
행하는 것이다.

1. 교육공무원법 41조

교육공무원법 제41조(연수기관 및 근무 장소 외에서의 연수)는 "교원은 수업에 지장을 주지 아니하는 범위에서 소속 기관의 장의 승인을 받아 연수기관이나 근무 장소 외의 시설 또는 장소에서 연수를 받을 수 있다."이다.

41조 연수는 「교육공무원법 제41조에 따른 근무지 외 연수」의 내용을 줄인 약어이다. 교직원은 41조 연수를 한다.

41조 연수는 방학 때 다음 학기를 준비하고 자기 계발을 하는 것이다. 교사들의 41조는 방학과 더불어 교사들만의 특권이라고 알려져 있다. 타 직장인들에겐 부러움의 대상이다.

연가·병가와는 다른 개념이다.

교사들은 평소에 연가를 거의 쓰지 않는다. 교사는 늘 방학 중 당연하게 사용한다. 일부 교사는 근무하거나 의무 연수, 자격연수를 받는 일도 있다.

교사도 학생도 방학 중 어떻게 보내느냐가 중요하다.

긴 방학은 교사로서 누릴 수 있는 혜택이고 기회다. 기술 교사는 사회의 현상에 가장 빠르게 적응하는 교사다. 방학이 되면 꾸준한 연수를 권장한다. 기술 교사로서 색다른 경험을 할 수 있는 좋은 기회다.

방학은 공부 시간이다. 방학은 연수, 여행, 독서, 재충전의 시간이다. 특히 여행을 통해 대자연에서 자신을 찾고, 깨달음을 얻는 값진 경험과 추억을 쌓는 일이다. 학기 중 시간 부족으로 하지 못한 공부를 해내는 시간이다. 목표를 세우고 계획을 세워 실천하는 게 교사의 사명이다. 교육은 속도가 아니라 방향이라도 한다. 변화에 적응하면 행복한 교사가 된다.

교사는 일신우일신(日新又日新)의 삶이다.

날마다 새로워야 하고 또 새로워야 한다는 의미다. 교사는 매일매일 노력하는 게 교사의 삶이다. 온고지신(溫故知新)의 정신도 필요하다, 과거의 전통에서 영감을 얻는 일이다. 교사는 미래인재를 양성하는 직업이다. 학문을 연구하고 실천하는 사명이 있다.

교사는 교육을 실천하는 교육실천가이다.

2. 공부하는 교사

공부! 참 좋은 말이다.

공부! 이는 듣기만 하여도 가슴 설레는 말이다.

공부! 세상에 배울 게 많다는 사실을 아는 일이다.

공부하면 할수록 어떻게 될까?

'왜 이렇게 모르는 게 많지'를 생각하게 된다.

공부하지 않으면?

내가 부족하다는 사실조차도 깨닫지 못한다.

교사는 가르치는 직업 이전에 공부하는 직업이다.

지금 되돌아보니, 이제는 말할 수 있다.

학교는 함께하는 곳이다.

함께 배우는 곳이며, 함께 나누는 곳이며,

함께 성찰하는 곳이며, 함께 성장하는 곳이다.

교사는 무엇을 하는가?

열심히 공부해서 잘 가르치는 것이 업이고,

또 하나는 학생들을 사랑하는 것이다.

모두 행복하게.

3. 평생 기술 수업한 교사 이야기

꼰대 교사로서 "불가근이면 불가원"을 생각한다.

교사 경험은 각자 다르다. 초임 교사의 경험과 10년 차 경험은 같지 않다. 마찬가지로 저 경력 교사의 경험, 20년 차 경험은 많은 차이가 있다.

신규교사는 경험과 경력이 많은 교사에게 질문하면 답이 나온다. 꼰대 교사의 잔소리라고 생각하지 말라. 그저 '좋은 내용이다' 생각하며 묻고, 경청하여 간접경험을 하는 자세가 제일이다. 저 경력 교사가 스스로 알아서 잘하는 모습을 보면 대견스럽다. 교사의 삶이 거기서 거기라고 생각할 수 있다. 다만 경험은 소중하고 알려주면 상호 간 집단지성이 되는 것이다.

학생들의 인성교육은 서로 배우고 가르치는 존경과 존중의 관계이다. 교사는 학생에게 모범적으로 행동해야 하며 학생 한 명 한 명에게 맞춤형 교육을 할 때이다. 교사는 학생 앞에서 언행일치가 모범이다. 모든 분야 모범을 행하는 게 교사이다. 서로 다름을 존중하고, 인정하고, 공평하게 대하는 태도이다. 한마디로 사랑과 열정이다.

학생 생활지도는 조·종례 시간, 수업 시간 자세한 관찰과 격려와 인정과 지지이다. 역지사지(易地思之) 마음이다.

학생들은 미숙한 게 눈에 보인다.

인정하라. 삶의 경험이 미천하여 그렇게 행동하는 것이다. 학생을 이해하고, 왜 그렇게 행동했는지 경청한 다음에 이해시켜라. 학생은 금방 변하지 않는다. 앞에서는 울면서 반성하는 척하고, 며칠 지나면 원래의 모습으로 행한다. 대부분 이렇게 생활하며 학교에 다닌다. 한번 말한다고 변화하면 좋겠지만 교육은 끈기다. 인내하고 꾸준한 기다림이다. 학생 자체를 인정과 존중한다. 구체적인 칭찬과 격려기 보약이다.

졸업 후 교사의 사랑을 안다면 다행이고, 몰라도 걱정하지 않아도 된다. 커가면서 배우고, 나이 먹으면서 깨닫는 게 인생이다. 학생에 대한 사랑과 열정만큼은 변하지 않으면 된다.

교사는 평생 가르치는 삶이다.

"잘하는지?", "못하는지?"가 중요한 게 아니라 끝까지 가르치는 삶이다. 각오와 다짐을 해야 한다. 교사가 가르침을 포기하면 어떻게 될까? 교육은 기다림이라는 사실을. 다만 성찰하는 시간이 너무 흘러서 안타깝다. 학교 현장은 과중해지는 업무로 인하여 걱정이다.

"불가근 불가원(不可近 不可遠)"

    고사성어이다. "너무 가까이도 하지 말고, 너무 멀리도 하지 마라"는 의미다. 인간관계의 깊은 뜻을 포함하고 있는 사자성어다.

    사람 사는 세상에서 인간관계에서 자신의 처신에 관한 지혜이다. 서로 존중해주는 태도가 필요하다. 관계를 유지하려면 서로의 노력이 필요하다. 모든 인간관계에서 좋은 관계를 유지하려면 지켜야 할 사항으로 전해진다.

    교사의 인간관계는 중심을 잡아야 한다.

    담임교사와 학생 학부모와의 관계는 어떻게 해야 할까?

    불가근이면 불가원이다.

심심(甚深)한 교사

교사의 삶 진심이다.

초심을 가지고 열심히 수업한다.

이젠 양심을 가지고 열심히 지낸다.

난 열심히 하였는가?

함께 합심하며 꾸준하게 수업하며 지낸다.

간섭받지 않는 혼자 있고 싶을 때도 있다.

잘하지 못한 일 상심하지 말고

근심과 걱정도 하지 말고

욕심부리지 말고 사심 없이

지금까지 해왔던 뚝심으로

이젠 중심을 잡고 행복하게 지낸다.

내 마음 진심이다.

누구나 다 그렇게 산다.

이런 삶이 교사의 삶인가 보다.

버티는 게 유능한 교사다.

    교실은 학생들의 공간이다.

    가르침과 배움이 함께 하는 마당이다. 교실에서 학생들과 수업에 재미를 느낀다면, 보상이 크다면, 가치를 느낀다면, 행복을 느낀다면…. 더 이상 바랄 게 없다. 지금 힘들다. 수업하기 힘들다. 가르치기 힘들다. 학생들과 대하기 너무 힘들다. 업무도 증가하니 힘들다. 학교 교사는 수업이 힘들다. 행정업무하기 너무 어렵고, 수업하기도 힘들다. 이해가 안 되는 행동을 한다. 지금 학교 교실은 서로 힘들다. 다 그런 것은 아니다. 일부 학생이지만 학생 수가 증가하니 더욱 힘들다.

    왜?

    "학생들이 말을 안 듣는구나!"

    가르침에 대한 거부감이 클까?

    어떻게 하나? 다른 방법이 있을까?

    수업에 왕도는 있을까?

    수업에는 정답이나 좋은 비법은 있을 수 없다. 쉽고 편하게 수업하는 방법 같은 건 없다. 더더욱 연구하고 가르치는 삶이다. 가르치며 연구하고, 고민하고 해결하는 게 교사다.

하루 이틀에 교육한다고 달라지는 게 아니다. 연구하고, 꾸준한 시간을 갖고 올바르게 실천하는 것 외에는 달리 방법이 없다. 누구나 다 아는 얘기다. 지금의 수업을 바꾸어야 한다.

순서가 중요하다. 내 마음이 우선이다. 나는 교사다. 나는 미래인재를 가르치는 교사다. 나는 내가 잘 안다. 교사는 내가 선택한 것이고, 각자도생하는 삶이다. 내가 좋은 교사, 더 성장하는 교사, 노력하는 교사 되려고 선택하는 것이다.

교사는 학생을 이해할 수 있을까?

좋은 수업을 하고 싶다?

좋은 수업은 무엇인가?

교사가 진정으로 원하는 게 무엇일까?

수업을 가장 하기 싫을 때가 변곡점이다. 변화의 가능성이 가장 클 때다. 극복하는 방법은 하나이다. 내 마음의 변화이다. 학교 수업 시간의 아픔은 누구에게나 다 있다. 말을 하지 않을 뿐이다. 아픈 만큼 성숙해진다는 말이 있다. 교사는 마음이 아파야 성숙해진다. 아프지 않은 교사 있으면 나와봐라. 아주 조금씩이라도 이런 과정을 거치는 게 성장하는 교사, 성찰하는 교사, 성숙한 교사다. 교직은 이런 삶을 사는 게다. 외롭기도 하지만, 즐거움이 교차하는 게 교실 속의 삶이다.

학생은 수업을 듣지 않고, 교사는 속수무책이다. 가르침과 배움의 치열한 교실 일상이 다 그렇다. 날이 더우면 지치고 힘들다. 자신감과 자부심이 고갈되는 지점이 여름이다.

　이제 지쳤어요. 번아웃(Burn-out) 상황에 이제는 쉬어야 할 때인가 보다. 수업에 집중하는 학생에겐 즐거움과 행복이요, 딴짓하는 학생에겐 실망이 커져만 간다.

　누군가는 이런 지긋지긋한 일 빨리 털고 싶다고 할 수 있다. 보람과 만족은 저 멀리에서 다가오고 있다. 당당하게 사는 게 행복한 교사라고 말한다.

　"힘들지?", "버티는 게 유능한 교사다." "내가 자랑스럽다.", "그동안 수고 많았다."

> 바쁜 교사 생활, 이젠 기쁜 방학 생활이다.
> 충전하는 생활,
> 새롭게 시작하는 준비하는 시간,
> 준비하는 대로 행복한 교사 생활이다
> 방학이다.
> 다음 학기 준비하는 시간이다.

방학이다.

학교는 방학이 있다.

방학(放學)이란, 가르침과 학업을 멈추고 휴식과 재충전의 시간을 갖기 위함이다. 매년 여름과 겨울방학을 보내야 한다. 요즘 교사나 학생들에게는 '휴식'이 아닌 경우가 많다.

날씨가 매우 덥다. 여름방학이 빨리 오기를 기다린다. 일정 기간 수업을 쉬는 일. 학교에서 1학기 너무나 길다. 3월부터 7월까지다. 학생과 교사들은 방학을 즐긴다. 마냥 놀기에도 불안하고, 여행, 연수, 휴식, 추억 쌓기, 능력 향상하기, 자기계발한다. 긴 방학 시간 동안 마칠 때 되면 아쉽기 마련이다.

교사의 방학은 충전이다. 학생과 교사들은 방학을 즐긴다. 일정 기간 수업을 쉬는 일이요, 학교에서 학기나 학년이 끝난 뒤 실시한다. 방학 기간, 선생님이 지치고 힘들 때 시원한 오아시스가 된다. 학교 업무에 지치고, 학생들과 실랑이에 지치고, 정신과 체력이 고갈되는 시점에 하는 것이다. '번아웃(Burn Out)' 직전이다. 마지막 힘을 내자. 마지막 힘을 내자. 방학이다. 신나는 방학이다.

교사는 방학 중 뭐 할까?

근무. 방학 중 해야 하는 각종 공문처리, 방학 중 학생 상담, 학생 봉사활동 지도 등의 업무, 특강 수업을 진행한다.

연수 후 보고서 작성 등의 업무, 다양한 체험활동 인솔 진행, 자유여행으로 재충전의 시간을 가진다. 다음 학년의 교육활동을 계획하는 정신적인 휴식 시간 새 학년도를 준비한다.

방학은 좋은 수업을 운영하기 위해 다양한 연수 하며, 지난 학기 동안의 학생생활기록부를 정리한다. 근무하고 방학 중 해야 하는 각종 공문처리와 방학 중 학생 상담, 학생 봉사활동 지도 등의 업무를 한다. 특강 수업을 진행하기도 한다.

방학은 쉼표이자 느낌표다. 숨을 돌리는 쉼표이자, 더 나은 내일을 위해 힘을 돋우는 느낌표이다.

방학은 학교 현실에서의 힘든 일을 모두 비우고, 자신의 마음을 비우고, 쉬면서 다시 에너지를 채우는 시간이다. 방학은 가르침을 준비하는 시간이며, 배움의 시간이고, 충전하는 시간이다. 교사는 휴식과 함께 자신의 교육 방법을 찾고, 교과에 맞는 연구를 하며 다음 학기를 준비한다. 재충전의 시간을 갖는다.

잠시 쉬고 싶다

지금은 번아웃 상태

힘들고 고되니 체력이 고갈된다.

정신도 방전된다.

불안하고 짜증이 난다. 쉬고 싶다

의욕도 사라진다. 무기력증인가 보다.

더우니 더 불안하고 더 지친다.

바쁜 일상 의욕 상실에 혼자 있고 싶다.

나를 찾으러 휴식한다.

이럴 때 한 발짝 물러서 재정비하는 것이 중요하다.

지친 일상에서 벗어나 자연과 함께하자.

나는 누구인가?

지금 무엇을 하나?

지금부터 방학이다.

함께 배우며 성장하는 삶

직무연수. 배우고 익히려니 학생이 생각난다.

종일 듣고 배우려니 역지사지 체험이다. 보람차고 알찬 깊이 있는 실용적인 연수, 학생 관점에서 노력하는 교사가 되고 싶다. 역지사지(易地思之)한 참여 연수, 수업을 바꾸자. 협력학습 체험으로 생각하는 시간이다. 방학 연수는 역 지 사 지(易地思之)요, 교학상장(敎學相長)이다.

방학이면 어떤 교사는 여행한다. 휴식과 재충전의 시간이다. 여행은 교사를 눈 뜨게 하는 도서관이다. 자기 자신을 만나러 가는 과정이다. 교사는 느낀다. 대 자연 앞에 인간이 별거 아니라는 것을….

배우는 학생에게 외친다. "보아라! 저 넓은 세상을", "세상은 넓고, 볼 것은 많다"라는 것을….

"교사에게 여행이란?" 무엇인가?

자신을 바로 보고, 세상을 배우라고, 지금이 가장 좋은 때이다. 방학엔 누구나 다 연수하고, 준비하고, 노력하는 교사가 된다. 도서관에서 공부하는 교사, 준비하는 자에게 좋은 교사 기회이다.

교사 동아리 활동은 미래를 위한 삶의 행복이 된다. 사회는 점점 취미와 특기를 지닌 동아리 활동이 넓어지고 있다. 특히 사회에 이바지하는 동아리가 증가하는 추세이다.

연구하고 싶은 사람, 공부하고 싶은 사람 모이자. 동아리는 작은 행복을 크게 이루는 디딤돌이다. Change, Chance. 노력은 절대 배신하지 않는다. 방학에 모든 것을 준비하면 좋은 기회가 찾아온다. 준비해야 한다. 변화하려는 자세와 태도가 중요하다. 특기를 배우는 기회이다.

시간과 공간 확보, 예산 지원하니 모이자. 학교 문화 개선, 교직원 행복한 생활 유도 좋구나! 좋이. 교사도 동아리 활동을 하면 학교생활과 교육활동에 도움이 된다.

무엇을 어떻게 할까?
연구회 목적은 무엇인가?
독서 토론, 협의회, 힐링 연수, 친목 도모하는 활동. 수업에 대한 고민과 수업 혁신을 위한 내실 있는 전문적인 공동체이길 바란다. 수업 개선 방법과 평가 방법 개선, 교육과정 분석, 주제 중심의 수행평가 방법, 학생 생활교육,…. 모이면 활동이 시작이다. 연구회는 교육의 실천 모임이다. 집단지성이 유지되는 것이다.

전문적 학습공동체는 배우며 성장하는 학습공동체이다.

공부하고 연구하고 수업 나눔 행사를 하는 교육 공동체. 교사끼리 수업 공개하고, 교육과정 함께 연구하고, 공동으로 수업지도안 작성하고, 동 학년 함께 수업 나눔하고, 현장의 문제 함께 해결하는 공동체이다. 교사들의 자발성, 함께하는 동료성, 학교 업무 책무성으로, 성장과 성찰하는 공동체이다. 체험과 수업 사례 공유와 교사의 전문성 역량을 개발한다.

교사들이 갖추어야 할 역량은 무엇인가?
배운다는 것은?
어디에서 활동하나?

언제 어디에서나 활동하는 자율성 전문성 활동이다.
학교 안, 학교 밖. 협업과 집단지성이다. 학습공동체는, 교육의 변화를 위해, 교사에게 역할을 하도록 지원하고, 교육활동에 대해 간섭하지 않는 제도를 진심으로 희망한다.

"교육의 질은 교사의 질을 넘을 수 없다"라는 의미를 다시 강조한다. 교사는 배워서 남 주는 게 삶이고, 교직 생애 기간 배움에 게을리하지 말아야 한다.

평생 학습자이다.

언젠가 배우고, 지금까지 가르치네!

어제도 오늘도 내일도 가르치고, 매일 배우나 보다.

나는 지금도 가르치고,

내일도 가르치고,

지금도 배운다.

배워서 남 주자니 아깝지 않시만,

빈 곳을 채우려니 시간이 부족하네.

날마다 배우고 가르치고,

지금도 내일도 건강하고 행복하게,

다음에도 늘 그러하길 바라며,

나는 늘 가르치며 배운다.

결국 평생학습 한다.

4. 학문이란 무엇인가?

논어의

옹야편(雍也篇)에는 "(知之者 不如好之者, 好之者 不如樂之者, 지지자 불여호지자, 호지자 불여낙지자)"가 있다.

이는 '알기만 하는 사람은 좋아하는 사람만 못하고, 좋아하는 사람은 즐기는 사람만 못하다.'라고 해석된다. 무엇인가 알려고 하는 공부는 즐겁다. "학문을 아는 자는 이를 좋아하는 사람만 못하고 학문을 좋아하는 자는 이를 즐기는 자만 못 하다"라는 의미다. 새롭게 도전하고 싶은 마음가짐이 우선이다. 공부해야겠다는 생각과 실천이 중요하다.

미국의 저명한 심리학자 윌리엄 제임스는 말했다.

"생각이 바뀌면 행동이 바뀌고, 행동이 바뀌면 습관이 바뀌고, 습관이 바뀌면 인격이 바뀌고, 인격이 바뀌면 운명까지도 바뀐다"라고 습관의 중요성을 강조하고 있다. 학문은 공부하는 것이고 공부는 습관이 중요하다는 의미다.

학문 언제까지 하지?

학문의 사전적 정의다.

학문(學問, Academia)은 "과거의 모든 사건과 일 중에서도 지식적인 부분들만 정리해 놓은 지식 체계이다"로 정의하고 있다. 학문을 익히기 위해선 지식을 다른 사람과 사물, 기록과 경험으로부터 얻어 배우고 이를 익혀서 체득하는 과정을 거친다.

학문은 교육을 통해 얻어질 수도 있지만 스스로 탐구하는 방법으로도 이루어질 수 있다. 지식, 기술과 가치를 얻기 위해 노력하고 이해하는 것이 필요하다.

명심보감 권학편에

"少年 易老 學難成, 一寸光陰不可輕"

(소년 이노 학난성, 일촌광음 불가경)하라"라는 문구다. '소년(少年)은 쉽게 늙고 학문(學問)은 완성(完成)하기가 어려우니, 짧은 시간도 가벼이 여겨서는 안 된다'라는 깊은 뜻이다. 학생 시절은 빨리 지나가니 배우고 익히는 시간을 헛되이 보내지 말라는 의미다. 시간은 돈이다.(Time is money)

학문의 세계는 넓고 크다. 오늘날은 인문학, 사회학, 과학 등으로 다양하게 표현한다. 학문은 시대의 변화에 따라 새롭게 변화하고 있다. 과거에는 진리 탐구라 하고 경전을 읽고 토론하고 이치를 깨달음을 중시했다. 학문의 목적이 수신제가(修身齊家)라고 해야 할 정도였다. 그래서 학문을 닦는다고 했다. 옛날 사람들은 소학(小學)에서 일상에 필요한 기본인 예절을 모두 배웠다.

"수신 제가 치국 평천하(修身齊家治國平天下)."

"먼저 자신의 몸과 마을을 닦고 집안을 가지런하게 한 다음 나라를 다스리고 천하를 평안하게 한다"라는 뜻이다. 자신을 수양하고 깨달음을 얻는 공부를 실천하는 의미다. 자신을 깨끗하게 닦는 데서 출발한다. 나의 작은 행동을 바르게 하고 가정에서 바르게 모범을 보이는 게 중요하다는 의미다. 내 과거 삶에서도 행동, 교육 중 수업이나 평가에 잘못도 했다. 여러 가지 잘못을 반성한다. "한 번 실수는 병가지 상사"라는 말을 깨달으며 지낸다. 최근에 이 말은 자신을 잘 살펴보라는 기본을 강조하는 말이다. 기본이 수신이다. 현대사회에서도 마찬가지다.

"윗물이 맑아야 아랫물이 맑다"라는 속담이 자꾸 생각난다. 요즘 우리 국민이 더욱 실감 나게 느끼는 문구이다.

우리나라 헌법 제22조에는 다음과 같이 제시한다.

대한민국헌법 제22조

제22조
① 모든 국민은 학문과 예술의 자유를 가진다.
② 저작자 · 발명가 · 과학기술자와 예술가의 권리는 법률로써 보호한다.

모든 국민은 학문과 예술의 자유가 가진다. 원하는 분야 관심 있는 분야를 배우고 익는 것이다. 우리나라는 학문의 자유가 보장된다. 학문을 배운다는 것은 유치원에서부터 초·중·고·대학교에서 지식과 기술을 탐구하고 배우고 익히는 것이다. 공부를 평생토록 해야 하는 것을 의미한다.

국민은 자유롭게 학문을 익히고, 국가나 사회의 발전과 세상에 이바지하는 삶을 사는 것이다. 요즈음에는 국민 누구나 평생학습 하는 시대가 되었다. 공부는 학문이나 기술을 익히는 것이다.

중국 순자는 "학문은 죽어서야 끝이 나는 것이다."라고 말하였다. 학문을 익히는 일 공부(工夫)는 평생 해야 한다는 의미다. 학문은 공부이고 배우고 익히는 것이다. 학교를 졸업하면 공부가 끝이라 생각하는 사람이 많이 있다.

우리는 인생을 살면서 아는 것도 많지만, 모르는 것도 많다. 공부는 모르는 것을 알려고 하는 것이다.

공부해 뭐하지?

공부는 사람이 살아가는 데 필요한 지식과 기능을 배우고, 인간관계 삶의 태도를 바르게 익히는 것이다. 공부는 인격을 형성하며 지혜로운 삶을 사는 방법이다.

공부는 언제까지 하나?

평생 배워야 한다. 배움에는 왕도가 없다. 공부 즉 학문이나 기술을 배우고 익히는 것을 꾸준하게 늘 해야 한다. 공부는 요람에서 무덤까지 끝까지 하는 것이다.

4차 산업 혁명 시대이다. 창의성이 더욱 중요한 시대이다. 이제는 생각과 상상을 표현하는 백문불여일견(百聞 不如一見)이요, 백견 불여일행(百見 聞不如一行)의 시대이다.

공부의 본질은 나의 성장에 있다. 인생을 살면서 필요한 것을 배우고 익히는 게 진짜 공부이다. 보고 듣고 질문하고 경험하는 게 진짜 공부다. 배우고 익혀 사회에 이바지하는 것이 좋은 공부다. 우리의 삶은 영원한 것이 아니다. 시간은 정해져 있다. 지금 소중하게 사용해야 한다.

4부 행복한 기술교사 살아남기

명예를 위해, 소득이 많은 직업을 위해, 성공하기 위해 부족한 것을 쌓는다. 학문을 배운다는 것은 지식을 배우는 것이다. 지식은 지혜를 쌓고, 지혜로운 삶은 곧 배움이고, 배우고 익히면 전문가가 되는 것이다. 오늘날 공부는 원하는 바 필요한 것을 배워 직업을 선택하는 경우가 많다. 오늘날 공부는 미래 직업을 선택하는 데 매우 중요한 요소가 된다.

내가 이 세상에 온 이유는 무엇인가?

직업(職業)은 개인의 사회적 역할을 의미하는 '직(職)'과 생계의 유지를 의미하는 '업(業)'으로 이루어진 말이다. 전문가되기 위하여 꾸준하게 배운다. 전문적인 능력은 해낭 전문 분야 직업을 선택하여 전문가로 활동하는 데 기본 사항이다. 직업은 전문적인 일을 하며 사회에 이바지하는 삶이다.

프리드리히 니체는 "직업은 삶의 근간이다"라고 말했다.

삶이 곧 일이며, 생활을 의미한다. 직업은 본인의 생계유지와 사회에 공헌하는 활동을 하게 되는 것이다. 내가 선택한 직업에서는 행복과 즐거움이 중요하다는 것을 느낀다. 공부해서 직업을 통해 자아실현을 하는 게 세상에 이바지하는 것이다. 내 인생의 주인이 내가 되는 세상이다. 내가 잘하는 분야의 학문을 익히고 배워 세상에 이바지하는 행복한 삶이 되는 것이다.

Learning by Doing

공부는 인간의 업(業)이다.

교사의 공부는 연수다. 연수는 자기 비용을 지급해야 좋다. 돈을 내고 연수하면 본전 생각에 악착같이 배우게 된다. 그러나 의무 연수나 어쩌다 연수는 시간이 지나지만 크게 얻는 게 별로 없는 경우가 많다. 교사는 함께 하는 공부가 좋다. 서로서로 자극하기 때문에 성장하고 발전하게 된다. 나도 원격과 집합 연수를 중견 교사 시절부터 연간 500여 시간을 이수했다. 공부하는 것이 중요하긴 하지만 건강을 해치면서까지 권하고 싶지 않다. 교직 수행하면서 여유 있는 시간이 되면 적절하게 공부하는 게 유익하다.

교사의 삶이 공부이다.

공부(工夫, study)는 평생 학습하는 것이다. "학문이나 기술을 배우고 익히는 것"이 공부다. 공부해서 남 주는 게 가치 있는 공부이다. 세상에 크게 이바지하는 삶을 사는 게 진정한 공부이다.

자아실현의 삶이다. 이는 널리 세상을 이롭게 하는 홍익인간의 삶인 것이다. 공부해서 홍익인간이 되는 것이다.

4부 행복한 기술교사 살아남기

교사는 평생 배우는 삶이다.

대학을 졸업하고 학교에서 첫 발령 받고 학생에게 교과 지식을 가르친다. 학생을 가르치면서 자랑스럽게도 생각하고 열심히 교육한다. 시간이 지나면 처음 하는 분야는, 부족함을 알고 연수도 받게 된다. 연수는 의무 연수가 있고 희망 연수가 있다. 희망하는 연수는 집중력도 좋고 배움에 가치를 느끼게 된다.

기술 교사로서 기술이 있는가?

기술 교사가 컴퓨터 활용 능력이 있다면 어떻게 될까? 반대로 컴퓨디 활용 능력이 없다면 어떻게 될까?

나도 그동안 컴퓨터 자격증을 취득했다. 워드프로세서, 컴퓨터활용능력 자격증을 취득하느라 자격증 공부를 했다. 그뿐만 아니라 방학 중에는 컴퓨터 부전공 자격증까지 취득했다. 가정 부전공 및 발명인증 교사 자격도 공부하여 취득했다. 지금도 열심히 배우고 싶은 연수를 이수하고 있다. 어느 해는 연수 이수 시간이 800시간이 넘기도 했다. 지금은 연간 평균 수 백 시간을 이수하고 있다. 출·퇴근 시간 지하철에서 공부하기 너무 좋은 환경이다. 교사는 평생 공부하고, 배워서 남주는 삶이다.

5. 기술은 세상을 바꾸는가?

기술은 과학, 공학, 기능과 관련하여 다양한 뜻으로 쓰인다.

자연의 환경에서 재료를 바꾸어 편리한 생활을 할 수 있도록 변환시키는 것이 기술이다. 삶은 생활이고, 생활은 곧 기술이고 기술은 인류 문명의 발달을 가져오는 것이다.

국립국어원의 표준국어대사전은 기술(技術)은 "과학 이론을 실제로 적용하여 자연의 사물을 인간 생활에 유용하도록 가공하는 수단."과 "사물을 잘 다루는 방법이나 능력"을 말한다. 기술(技術)의 의미는 "어떤 것을 잘 만들거나 고치거나 다루는 뛰어난 능력. 특히, 그것을 얻기 위해서는 오랜 수련·학습·연구 등이 필요한 것을 가리킨다." 넓은 의미로는 "어떤 일을 전문적으로 할 수 있는 능력을 포괄하기도 한다"로 규정된다.

일반적으로 과학이나 산업에서 다루는 '기술'의 의미는 영어의 기술(Technology)이다. 희랍어 테크네(technē)와 로고스(logos)를 어원으로 하는 합성어이다. 테크네(technē)는 그리스어에서 유래 되어 오늘날 무엇을 만들거나 기능(技能)이나 공예(工藝)를 가리키는 용어로 사용하고 있다.

기술(技術)은 예술(藝術)이다.

기술은 무엇인가 생각하며, 만드는 방법을 행하는 것이다. 의미가 매우 넓고 크다. 기술은 사람의 필요에 따라 도구나 기계, 재료 등을 개발하고 사용하는 과정 등에 대한 일련의 지식 체계나 학문을 의미한다.

교육부는 2015 개정 교육과정에서 "인문학적 상상력과 과학기술 창조력을 갖추고, 바른 인성을 겸비하여 새로운 지식을 창조하고 다양한 지식을 융합하여 가치를 창조할 수 있는 창의 융합형 인재상"을 미래사회 인재로 제시했다.[11]

융합 교육은 왜 필요할까?

교육부에서는 미래 인재교육을 위하여 정규 교과 내용에 융합(STEAM) 교육, 메이커(Maker)교육, 소프트웨어(SW)교육, 인공지능(AI)교육을 강조하고 있다. 2022년 개정 교육과정은 미래 교육을 위한 변화를 시도하려 준비하고 있다.

융합 교육은 과학, 기술, 공학, 예술, 수학의 융합(STEAM) 적 실천을 경험할 기회를 제공하며, 창의적인 융합 인재를 양성하는 데 이바지하는 것이다.

---

11) http://www.ncic.go.kr/mobile.revise.board.list.do?degreeCd=RVG01&boardNo=1001

융합 교육의 기대효과는 실생활 문제를 창의적으로 사고하는 습관과 어떻게 해결할 것인지 궁리하고 해결하는 능력을 길러주게 된다. 즉, 학습 과정에서 학습에 대한 흥미, 자신감, 지적 만족감, 성취감 등을 느끼고 열정과 도전 정신을 함양시키는 교육이다. 교육은 미래사회에서 필요한 능력을 기르고 능동적인 인재를 양성하는 것이다.

　　기술은 우리의 삶을 풍요롭게 하며, 미래를 가치 있게 발달시키고 있다. "학문이나 기술을 배우고 익히는 것" 평생 해야 한다. 교육에는 유아부터 초등학생부터 대학생, 일반인들까지 자신의 가치를 향상하도록 관심과 평생교육 지원이 필요하다.

　　베이컨은 '아는 것이 힘'이라고 하였다. 배우면 알게 되고, 알게 되면 깨닫게 되는 것이다. 인간은 무엇인가 만드는 창작자이고 창조자가 되는 것이다. 세상에 필요한 모든 제품은 창작자에 의하여 만들어진다. 창작자가 만든 제품을 가정과 사회에서 편리하게 사용한다.

　　미래는 어떤 인재가 필요할까?
　　미래는 어떤 인재가 인정받게 될까?

2022 개정 교육과정에서 포용성과 창의성을 갖춘 주도적인 사람'으로 성장할 수 있도록 우리 교육의 체제를 혁신하고자 추진되고 있다. "더 나은 미래, 모두를 위한 교육"으로 진행한다.

교육과정은 학습자들이 디지털 전환, 기후환경 변화 및 학령인구 감소 등 미래사회 변화에 적극적으로 대응할 수 있는 기초소양과 역량을 함양하여, '포용성과 창의성을 갖춘 주도적인 사람'으로 성장할 수 있도록 우리 교육의 체제를 혁신하고자 추진되고 있다.[12]

스티브 잡스는 스마트폰 개발 발표 연설에서 "애플은 인문학과 기술의 교차로에 있다"라고 선언했다. 창의적인 제품을 만드는 비결은, 상상력과 기술의 혁신이기 때문이다. 기술은 상상을 현실로 만들고, 편리한 생활을 하도록 만드는 것이다.

기술은 삶의 대부분을 차지한다.

사람을 이롭게 하는 아름다운 기술을 배우는 것이다. 무엇인가 창조하는 사람, 무엇인가 만드는 사람이 창작자이다.

---

12) 교육부
https://www.moe.go.kr/boardCnts/viewRenew.do?boardID=294&boardSeq=89671&lev=0&searchType=null&statusYN=W&page=1&s=moe&m=020402&opType=N

기술은 사회를 발달시키며 세상을 편리하게 만든다.

누구나 세상을 가치 있게 만드는 창작자다. 기술에 의한 사회 변화는 계속된다. 기술은 생활이고 삶 자체이다. 기술을 배우고 제대로 익히는 것이 공부이다.

로켓 전문가인 로버트 고더드는 "불가능이 무엇인가는 말하기 어렵다. 어제의 꿈은 오늘의 희망이며 내일의 현실이기 때문이다."라고 언급했다.

생각한 것을 표현하는 것이 중요하다.

아이디어와 상상을 현실로 만드는 것이 기술이다. 기술은 상상을 현실로 만들고, 편리한 생활로 바꾸고, 사회를 변화시키고, 세상을 변화시킨다.

6. 미래역량 교육을 어떻게?

제4차 산업혁명 시대이다. 미래학자들과 미래 교육 정책 전문가들은 교사의 미래역량을 요구한다. 시대 변화에 맞게 다양한 정보와 지식을 융합하는 융합적 사고력과 교육이 필요하다. 교사로서의 미래역량이 요구되고 있다.

교사로서 갖추어야 할 미래역량 사항을 나열한다.

하나, 전공 분야에 대한 지식과 전문성 향상

하나, 사회 직업인으로서의 책임감

하나, 교사로서의 교육 철학과 사명감

하나, 가르치는 학생들에게 사랑과 열정

하나, 수업 시간 성취기준과 학습 목표 달성의 융통성

하나, 학생들을 대하는 상담 역량

하나, 학교 일상에서의 주변 사람들의 인간관계

하나, 문해력 향상과 학습 동기 부여 역량

하나, 학생과 학부모의 갈등 해결 능력

하나, 네트워크 시대의 에듀테크 역량

하나, 변하는 세상에 변화하는 능력

하나, 교육의 개념과 본질을 실천하는 능력 등

미래 하이테크 시대

세상은 너무나 빠르게 변화하고 있다.

인공지능이 우리 눈앞에 나타나는 시대이다. 좋은 기술을 교육에 활용하면 교육 효과가 크다고 여기는 사람도 많이 있다. 남에게 이로운 것, 인류에게 감동을 주고받는 시대가 도래하고 있다.

변화하는 세상에 인공지능(AI)이나 메타버스(Metaverse)를 활용하는 교육의 방식도 도입해야 한다. 인공지능 로봇도 등장하고 있다. 전문기술은 제품을 개발하거나 연구하는 분야의 기술이다. 전문기술은 명품을 제작하면 부가가치 크다. 명품을 조립하는 현장에서는 제품의 생산기술이 발전한다. 생산기술은 미래를 위한 창의적인 아이디어가 필요하다. 미래 기술은 사람을 위한 기술로 변화해야 인정받는다.

기술은 사회를 발전시킨다. 기술은 미래를 위하여 부가가치가 큰 교육이다.

교육은 인격을 올바르게 형성하는 과정이고, 기술은 사람을 위하는 공부다. 교육은 속도가 아니라 방향이다. 시대의 변화에 적절하게 대응하는 새로운 교육제도가 필요하다. 학생에게는 맞춤형 교육으로 꿈을 꾸게 하고 도와주는 것이다.

새로운 기술을 활용하고 변화에 대처하면 미래사회가 더욱 발전하게 된다. 하이테크(high-tech) 하이터치(high-touch) 시대이다. 에듀테크를 활용하는 하이테크(HighTech)시대이다.

교사는 늘 얼리어답터(early adopter) 되어야 한다. 새로운 에듀테크 정보를 다른 사람보다 먼저 접하고 공부하는 교사를 말한다. 내가 얼리어답터 되어야 변화에 앞장서는 길이다.

4차 산업혁명 시대 사물인터넷, 가상현실과 증강현실, 인공지능 및 로봇, 등을 활용하여 교육 분야를 발전시키는 것이다. 학생들에게 풍부한 교육 자료 제공으로 인간적인 감성을 느끼도록 인성을 중요시하도록 생각해 볼 필요가 있다.[13)]

기술은 미래이다. 생각을 바꾸면 미래가 보인다.

미래를 위해,

똑똑한 기술로, 따뜻한 세상으로 발전시키는 것이다.

---

13) https://www.kyongbuk.co.kr/news/articleView.html?idxno=984647&sc_serial_code=SRN80

미래역량과 Chat GPT

새로운 시대 Chat GPT 등장 나 어떻게 하나?

학교는 무엇을 가르쳐야 할까?

지금 신인류 가상 지식인이 등장했다. 궁금하면 물어보자.

과거는 어른 경험이 중요했고, 인쇄된 책이 중요했고, 19세기에는 백과사전이 가치 있었고, 지금은 컴퓨터가 해결하고, 최근에는 컴퓨터 검색하면 모든 것이 나온다. 이제는 종합백과사전과 AI 로봇이 대세인 ChatGPT 등장했다. 척척박사 인공지능 로봇이다. ChatGPT 검색하면 대부분 해결해 준다. 여기저기서 ChatGPT 연수하느라 분주하다.

교육의 목표는 지식과 기술과 태도이다.

지식은, 과거의 일반적인 지식 점수 시험공부. 지금은 기계학습이 대체, 네이버 지식인 지식이 뛰어나 검색하면 다 나온다. 에듀테크 기술은 인공지능 기계 자동화 로봇으로 대체될 것이다. 태도는 인간에게 중요한 역량 함양으로 미래형 인재이다.

가치 있는 삶은 무엇인가?

홍익인간의 이념과 정신을 실천할 때이다.

세계경제포럼(WEF)은 21세기 교육역량을 제시했다.

미래의 인재상은 무엇일까?

필요한 역량은 무엇일까?

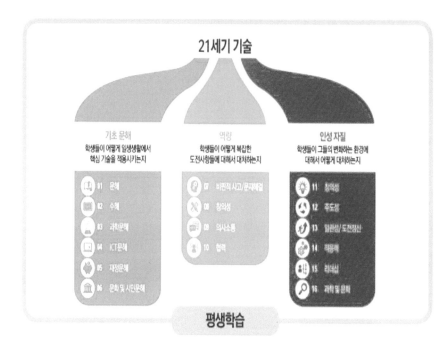

21세기 살아갈 학생들에게 필요한 기술 16가지다. 미래 인재에게 필요한 기술이다. 기초소양, 역량, 성격적 특성, 세부적인 16가지의 기술을 제시한다.

기초소양 6가지

글을 읽고 쓸 줄 아는 문해력, 사칙연산을 할 수 있는 산술
능력, 과학 소양, 컴퓨터에 대한 지식을 의미하는 ICT 소양,
금융 소양, 문화적인 시민 소양 등 6가지이다.

미래 인재에게 필요한 역량 4가지

비판적 사고력 및 문제 해결 능력, 창의력, 소통 능력, 협업
능력 등 4가지이다.

인성 성격적 특성 6가지

호기심, 진취성, 지구력, 적응력, 지도력, 사회문화적 의식
등 6가지를 제시했다.

인공지능 시대 교사 역량은?

모든 것을 배우려는 능력, 변화에 적응하는 공부하는 태도,
문제를 해결하는 질문하는 능력, 인공지능의 적재적소 활용
구상과 적용이 필요하다.

교사와 Chat GPT

Education은 잠재된 능력을 밖으로 꺼낸다는 뜻이다.

누가 잠재된 능력을 이끌어 낼까?

교사?

부모?

교육은 선생님이나 부모가 이끌어 가는 과정이다. 가르치고 도와주는 게 교육이다. 진정한 교육은, 세상의 변화를 알고 인간과 자연의 이치를 따르면서 세상에 이바지하는 삶을 살도록 하는 홍익인간의 삶이다.

교사는 교육자(educater)이다.

교육자는 안내자(guider), 조정자(moderater)이다.

교사는 도움을 주는 자(Helper)이다.

교사는 퍼실리테이터이다.

퍼실리테이터(Facilitator) 란?

촉진자로서 실행할 수 있도록 도와주는 이끌어가는 사람이다.

Chat GPT가 등장했다.

대화형 인공지능 서비스이다. 인공지능으로 질문에 그럴듯하게 요약해서 답을 주는 검색해 주는 채팅 AI 로봇이다. 모르는 게 있을 때 도움을 청하는 건 답을 얻는 가장 빠른 방법이다.

미래 교자는 Chat GPT가 제공하는 지식보다 많은 내용을 알아야 할까? 그러기는 쉽지 않은 일이다.

Chat GPT가 제공하는 지식이나 수준 높은 내용일까?

주제에 따라 강의나 학습자료를 제공할 때 어떻게 해야 하나?

교수법은 어떻게 될까?

이제 교사나 학생에겐 궁금한 것을 해결해 주는 척척박사를 내 비서로 활용해야 한다. 정보검색 방법에 관한 기술이 발전할 것이다. 정보를 올바르게 선택하고 판단하는 능력이 필요하다. 이제 교육은 기억에서 이해로, 이해에서 비교하고 분석하는 능력이 요구된다. 그뿐만 아니라 제대로 평가하고 종합하여 새로운 것을 창조하는 능력이 필요하다.

교사는 어떻게 해야 하나?

< 누구나 사용하는 챗GPT 활용 - 도서명 >

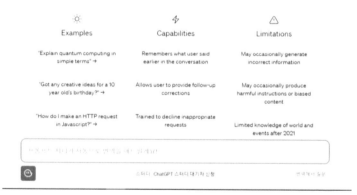

7. 삶을 행함으로, 미래를 여는 교육실천가

가르침은 삶으로,

배움은 행함으로,

미래를 여는 교육실천가의 길.

학교는 학생을 가르치는 곳이다.

무엇을 가르치는가?

가르친다는 것은 모르는 것을 가르치는 것이요,

지식을 가르치는 것이다.

지식은 앎이요, 지식은 기능을 익히고 태도를 함양하는 것이다. 가정과 학교, 사회에서 삶을 행하는 올바른 교육을 추구한다. 물론 올바르게 가르치고자 교사는 늘 꾸준히 노력한다.

배워서 뭐 하지? 시험 보고 끝인가?

시험은 과정이요, 실천이다. 배워서 남 주는 게 교사이고, 배워서 올바르게 행하는 게 진정한 교육이다. 홍익인간 별거 아니다. 내가 올바르게 배우고, 세상에 가치 있게 행하고 이바지하는 것이다.

교사의 일상은 일신우일신(日新又日新)이다.

'끊임없이 보다 나은 사람이 되어가자'라는 뜻이다. '매일매일 새로워지는 것'을 의미한다. 매일 같은 일을 반복하는 일이지만 이게 삶이요, 이를 행하는 게 교사다. 이런 일상을 반복하는 삶이다.

교사는 매일매일 가르치고, 노력하는 것이다. 교사의 일상은 늘 성장하고 성숙해지는 것이다. 수업을 성찰하는 삶을 사는 것이다. 가정의 생활도 성찰하는 일상의 혁신이 필요하다.

일상의 명상과 반성이 나를 변화시킨다. 일상에서 깨달음으로 나를 바꾸는 것이다. 커다란 혁신이 아니라 자신의 혁신을 말한다. 작은 혁신이 나를 성장하게 한다. 독서하고 글쓰기가 자신을 혁신하는 일이다. 일상의 변화를 하는 게 교사이다. 교사는 앎을 위한 공부를 했다. 이젠 삶을 위한 공부를 가르친다. 이게 행함의 삶이다.

무엇을 행하는가?

나를 알고, 너를 알고, 세상을 아는 것이다. 세상을 위한 가치 있는 일을 행하는 삶이다. 누구나 다 그렇다.

교육실천가의 삶은 일신우일신(日新又日新)이다.

따뜻한 세상으로

교사는 파블로프의 개인가?
종소리에 따라 행동한다.
종 치면 교실을 들어가고 나온다.
평생 지켜야 할 의무 사항이다.

수업 시작과 마치는 시간을 철저하게 잘 지킨다.
그래야 한다. 교사의 책임 의식의 수준이다. 교실에선 시간 낭비하지 말고 가르쳐야 한다. 모두 열심히 가르치고 있다. 학생들이 어영부영하니 안타깝다. 학생들이 문제가 많다. 종 쳐도 늦게 들어오고 수업 시간을 낭비하는 경우가 많다.

왜 시간을 낭비할까?
시간의 소중함을 모른다. 모르니까 가르쳐야 한다.
가르치지만 배우지 않으면 어떻게 하지?

학교 교사, 부모가 제대로 가르쳐야 한다. 가정과 학교, 사회에서 질서와 규칙, 예절은 인간의 도리다. 사회의 질서는 국가의 근본이다. 매우 중요하다.

어떻게 가르칠까?

수업 시간 잠자는 학생의 행동을 어떻게 해야 할까?

원칙대로 바로 지적하면 어떨까?

학생에게 문제점 지적하면 서로 감정이 상한다. 그냥 놔두면 감정 상할 일 없다. 측은지심, 책임 의식 갈림길이다. 교사에게 대드는 학생, 반항하는 학생, 무시하는 학생, 욕설하는 학생이 많아지고 있다. 안타까운 일만 늘어난다.

교사는 원칙을 잘 지켜야 한다. 제대로 잘 가르치고 제대로 잘 배우도록 하는 게 교사다. 스스로 알아서 잘하는 학생은 거의 없다. 잘 가르쳐야 한다.

언제?

어릴수록 그러해야 한다. 유치원, 초·중·고·대학교에서 기본적인 사항을 배운다. 학생은 배울 것을 제대로 배워야 하고, 가르치는 사람은 잘 가르치려면 모범을 잘 보여야 한다.

교사나 학생이라고 다 잘할 순 없다. 잘하는 게 분명하게 있을 것이다, 그걸 더 잘하면 된다. 세상의 옳고 그름을 가르쳐야 한다. 내가 먼저 옳고 그름을 잘 판단해야 지혜로운 것이다. 지혜는 평생 배우는 것이다. 교사는 가르치면서 배우는 지혜로운 자 되어야 한다.

요즘 교직 생활이 두렵고 힘들다.

나만 힘들고 괴롭고 외로운 것은 아니다. 주변 선생님들에게 손을 내밀어 함께 했으면 좋겠다. "기쁨은 나누면 배가되고, 슬픔은 나누면 가벼워진다"라고 했다. 학교는 함께하는 공공 기관이다. 동료와 함께, 학생과 함께, 학부모와 함께하는 학교이다. 모두 다 함께 행복하다면 더 이상 바랄 게 없다.

함께 성장하며 교육을 바꿔나가면 교사에 대한 신뢰도도 향상될 것이다. 교사는 평생 공부하는 학습자이고, 평생 가르치는 교육자이다. 학생과 학부모는 교사를 존중하는 풍토를 기다린다. 이제는 교사가 교육전문가로서 인정받고, 존중받기를 기대한다.

똑똑한 교사
따뜻한 마음으로 평생 가르치는 자이다.

진정한 공부

공부란 무엇인가?

공부 왜 하지?

공부의 목적은 무엇인가?

어릴 때 공부는?

모르니까 알려고 공부한다. 호기심과 궁금증이다.

학창 시절 공부는?

상급학교 진학하려고 공부한다. 현재 하는 시험공부다.

커가면서 공부는?

직업을 선택하려고 공부한다. 생계유지를 위한 공부다.

지금의 공부는?

전문지식과 기술을 쌓으려고 공부한다.

이제부터 공부는?

정신적인 공부다. 인생 공부이다.

사회 기여와 세상을 공부하는 삶이다.

자아실현의 공부다.

오늘날 공부의 목적은?

학생들은 초·중·고등학교의 대학에 진학하는 공부를 말하기도 한다. 공무원, 대기업 취직시험을 통과하기 위해 익히는 공부라고 말한다. 이는 합격을 위한 과정이고 진정한 공부는 이제 시작이다.

공부는 생각하는 힘을 기르는 사고력이 필요로 한다.

창의력과 문제 해결 능력, 자기 관리능력, 협력심, 인성, 체력도 필요하다.

공부 제대로 가르치자.

인생 공부가 진짜 공부이다.

돈 공부, 인생 공부, 노후를 위한 공부….

많은 시간 어떻게 보낼까?

공부 어떻게 할 것인가?

무슨 공부할 것인가?

만능이 되어가는 삶을 준비하는 게 지금이다.

교사는 배워서 남 주는 삶이다

"윗물이 맑아야 아랫물이 맑다"라는 말이 있다.

윗사람이 잘해야 아랫사람도 잘하게 된다는 뜻이다. 부모가 모범을 보여야 자식도 효자 노릇을 하게 된다는 의미다. 가정과 학교, 사회에서 기본이 바로 서는 교육을 제대로 하길 바란다. 우리나라의 미래는 지금 가치관의 선택에 달려 있다. 교육에서는 학생들이 무엇을 가치 있게 배울까 걱정이다.

교육에 왕도는 없다. 그러나 교육에는 기본이 있다.

기본을 잘 가르치고 배우는 대한민국 교육을 희망한다.

기본을 잘 지키는 대한민국 우리나라 힘내기를 바란다.

미래를 위하여 기초를 튼튼히 하는 교육, 기본을 지키는 교육을 제대로 해야 한다. 기본을 잘 지키는 것이 본질이고, 기본이 미래이다. 교사는 본보기이다. 모범적인 삶을 살아야 하고, 모범적인 행동을 해야 한다. 교사는 사회의 가치에 대한 어른이며, 학생의 본보기다. 한 개인의 가치관이고, 사회의 정직 척도이며 국가의 신뢰도이며, 그 나라의 미래를 좌우한다.

교사는 가르치며 배운다.

"마땅히 행할 길을 아이에게 가르쳐라. 그러하면 늙어도 그것을 떠나지 않으리라." 성경에 있다. 교사의 행동, 윤리적인 행동거지, 정직하고 청렴한 생활, 삶에 대한 성찰 역량이 필요하다. 청렴은 공정한 문화의 출발이요, 정직하고 정의로운 모습이다. '윗물이 맑아야 아랫물도 맑다'라는 속담이 있다.

우리나라는 이제 정직과 신뢰를 구축하는 정의로운 나라, 공정한 나라, 올바른 교육을 기대한다. 공직자는 자신의 과거 또는 현재의 직위를 직접 이용하여 부당한 이익을 얻거나 타인이 부당한 이익을 얻도록 해서는 안 된다.

"정직만큼 부유한 유산도 없다." 셰익스피어의 말이다.

정직해야 한다는 기본은 변함이 없다. 청렴은 공정한 사회의 출발점이다. 공무원을 철밥통이라고 부른다. 이유는 다 알 것이다. 큰 잘못 저지르지 않고 잘하든 못하는 퇴직까지 웬만하면 보장된다는 이야기다. 대한민국 교사 한때는 인기가 좋았다. 이제는 환경과 상황이 많이 달라지고 있다. 학생 학부모의 아동학대 신고로 문제가 심각한 상태이다.

교사는 배워서 남 주는 삶이다. 이를 강조하는 이유는 교사는 평생을 공부하는 학습자이다. 미래인재를 위하여 열심히 가르친다. 교사가 같은 내용을 가르친다고 생각하지만 늘 새롭다. 학생이 다르고, 교과서가 다르며, 시험과 평가가 변해왔다. 늘 반복하는 다람쥐 쳇바퀴 삶이지만 매일매일 새로운 삶이다. 매일 변화무상한 게 교실의 학생들이다. 하루, 1주일, 한 달, 1년 지내다 보면 어느새 정년이 다가온다.

현재의 교육공무원법의 정년은 62세이다. 교육공무원(임기가 있는 교육공무원을 포함한다)은 그 정년에 이른 날이 3월에서 8월 사이에 있는 경우에는 8월 31일에, 9월에서 다음 해 2월 사이에 있는 경우에는 다음 해 2월 말일에 각각 당연히 퇴직한다. 앞으로 100세 시대 정년은 연장된다. 누구나 다 정년퇴직이나 명예퇴직을 한다. 퇴직은 교직을 마무리하는 복이요, 영광이요, 자랑스러움이다.

요즘 개인 사정도 있지만, 교권 추락, 교사의 인권 경시 풍조, 학생들의 교권 침해, 학부모 민원 증가로 인하여, 유능한 교사들 명예퇴직이 증가하고 있다. 교육의 길을 반듯하게 살았고, 교사 삶의 가치를 사명감과 책임감으로 살아왔기에, 존경과 존중의 마음을 표현한다.

교직은 자부심과 보람과 만족을 느끼는 직업이다. 정년퇴직은 정해진 기간 정해진 직업에서 업의 끝이요, 새로운 삶의 시작이다. 끝이 아니고 시작이다. 노후 설계 제2의 인생은 세상을 잇는 가치가 있는 삶이다. 온고지신(溫故知新)의 삶이요, 홍익인간의 삶이다.

논어 위정(爲政) 편에 나오는 글,
知之爲知之 不知爲不知 是知也
(지지위지지 부지위부지 시지야)
아는 것을 안다고 하고,
알지 못하는 것을 알지 못한다고 하는 것이
참으로 아는 것이다.
앎의 기본을 말한 유명한 글이다.

앎은 삶이요, 삶은 세상에 이바지하는 행동하는 삶이다. 교사의 삶은 공부하는 삶이며, 배우고 익히는 수행이며, 가르치는 건 고통이요 깨달음이다. 인생의 가치는 무엇인가?

더 빨리 배우고, 더 많이 가지는 게 아니라 더 많이 베푸는 삶이라고 한다. 자신이 원하는 삶을 사는 것이다. 교사의 삶은 배워서 남 주는 삶이요, 열심히 사는 일이다. 보람과 만족이 기다리는 가치 있는 삶이다.

4부 행복한 기술교사 살아남기

일과 삶의 균형을 찾아서

학교는 학생들과 지내는 곳이다.

학교 수업과 업무를 하다 보면 피곤한 게 정상이다. 스트레스가 쌓인다. 이를 극복하는 개인적인 방법을 찾아서 해결한다. 산책, 등산, 운동, 음식 등등. 내 몸에 문제가 생기면 마음의 여유가 없다. 내 몸이 피곤한데 학생들이나 가족에게 잘 대할 수 없는 상황이 된다. 교사의 일과 삶의 균형을 찾아야 한다.

워라밸(일과 삶의 균형)이다.

워라밸(Work&Life Balance) 한국에서 2017년경부터 앞 글자만 딴 신조어이다. '일과 삶의 균형', 일과 삶의 균형을 의미하는 워라밸. 이제는 즐겁고 재미있고 행복하게 오래오래 살 수 있는 시대가 도래한 것이다.

워라밸은 새로운 문화의 약자이다. 요즘엔 몸과 마음을 결합하여 풍요롭고 아름다운 인생을 살아가고자 하는 새로운 삶의 방식으로 이해하고 있다. '물질적 풍요의 한계, 정신적 여유와 안정'. 바로 '참살이'다. 참살이'는 '참된 삶', '정직한 삶'을 뜻한다.

웰빙(Well Being)의 시대이다.

국립국어원은 '웰빙'을 순우리말로 공모하여 '참살이'로 했다. 웰빙은 참살이라고 부른다. 웰빙은 참살이고, 참살이는 웰빙이다. 웰빙(Well Being)은, '복지, 안녕, 행복'이라는 사전적 의미다. 최근에는 '육체적인 질병뿐 아니라 정신적으로, 사회적으로도 질병이 없는 삶'을 의미한다. 웰빙(Well Being)과 웰다잉(Well Dying)의 생각이다. 4차 산업혁명 시대 웰빙이 새로운 삶의 방식으로 주목받고 있다. 웰다잉도 생각할 때이다.

교사의 일과 삶의 균형을 생각한다.

교사는 일과 수업을 열심히 한다. 교사가 학생과 함께 바른 길로 안내하고자 최선을 다한다. 누구나 이런 삶을 사는 곳이 학교다. 부단한 노력을 하고 지낸다.

다만, 따르지 않는 학생을 어떻게 할까?

"학교는 누구와 함께할까?"

젊은 시절은 친구와 함께?

연애할 땐 애인과 함께?

결혼하면 가족과 함께?

나이 먹으면 누구와 함께?

학교에 출근하면 하루가 너무나 짧다. 교사는 주 40시간 근무한다. 좋은 시간이라고 생각하는 사람도 있을 것이다. 주당 평균 수업시수는 20시간 내외이다. 이 시간 외에는 공문처리 업무, 교재 연구, 연수, 학생 상담하느라 매우 바쁘다. 가끔 수업 없는 시간이면 바랄 게 없다.

퇴근 시간 되면 누구나 정시에 퇴근하는 게 아니다.

학교 업무처리 하고, 학생 상담 마치면, 퇴근하는 것은 당연하다. 이제부터 편안하게 연구하고 업무 수행하는 교사도 있다.

부장 교사는 공문서 업무처리, 담임교사는 학생 상담 및 학급 업무처리에 초과 근무를 많이 한다. 행정업무 부서의 일은 책임지고 잘 처리해야 하는 게 부장 교사의 능력이다. 수업을 잘하는 것은 대단한 능력이다. 모두 잘하려니 내 몸이 고생한다.

내 몸이 천근이요, 만근이 된다. 운동하고 산책하며, 휴식을 취하지만 늘 고되고 힘들다. 퇴근하면 곧 출근 시간이다. 누구나 다 수레바퀴 같은 일을 하는 삶을 산다. 모두 즐겁게 행복한 학교생활을 바란다.

교사는 늘 "오늘도 무사히"를 외치면서 출근한다.

교사의 삶은 기다림이다.

그동안 배우고 가르친 게 내 삶이다.

교사 삶의 단순한 경험을 전하고자 이 글을 쓴다. 일부는 단순한 삶이 아니라고 할 수 있고, 일부는 공감할 것이다.

삶은 하루, 한 달, 일 년을 반복하는 삶이다. 교사는 더더욱 반복하는 다람쥐 쳇바퀴 삶이다. 학교를 옮기지만 늘 같은 일을 한다. 학생이 바뀌고 환경이 바뀌지만, 크게 보면 가르치는 삶의 반복이다. 보람과 만족은 기다리면 다가온다. 교사인 내가 마음먹기가 중요하다. 학교생활 참는 게 보약이고 명약이다. 교문 밖의 세상으로 나가면 뾰족한 방법이 나를 기다리면 좋겠지만 정글과 마찬가지이다.

학생과 대화가 잘 안 되는 이유는 내 생각과 학생의 생각이 다르기 때문이다. 미성숙하기 때문이다. 미래나 향후의 생각보다 지금, 이 순간의 생각만 하려고 한다. 교사는 잘 알아듣도록 꾸준하게 가르치는 게 의무요 사명이다.

내가 하는 일이 고귀한 일이고, 매우 중요한 일이다. 미래를 위한 일이다. 미래는 점점 변화하고 있다. 기술 교사는 변화에 빠르게 적응해야 한다. 내가 변하느냐가 문제다. 변화에 앞장서느냐, 따라가느냐의 선택은 나에게 달려 있다. 내 인생이다. 내 주변에 충고나 도움을 주는 사람이 많은지 살펴보자. 모든 일은 내가 정하고 내가 도전하고 내가 성취하는 것이다. 세상은 멈추는 게 아니라 발전하면서 잘 굴러간다. 세상은 늘 변화한다. 나도 변해야 한다.

수업은 교학상장(敎學相長)이다.

교사는 수업으로 학생과 함께 교실에서 행복과 소질을 찾아주는 게임을 한다. 자신의 수업에 고민이 없는 교사는 없다.

수업은 역지사지(易地思之)의 마음으로 해야 즐겁다. 이제는 학교 교육에 대하여 다시 생각할 때이다.

학생을 변화시키는 방법은 무엇일까?
교사를 변화시키는 방법은 무엇일까?
학교를 변화시키는 방법은 무엇일까?
교육을 변화시키는 방법은 무엇일까?

교사는 학생에 관한 관심과 사랑이 제일이다. 교사가 지녀야 할 가장 중요한 점은 학생들을 사랑하는 마음이라고 생각한다.

유홍준 교수의 《나의 문화유산 답사기》의 글귀가 떠오른다.
"사랑하면 알게 되고,
알면 보이나니,
그때 보이는 것은
전과 같지
않으리라."

미래를 위한 교육이 이루어지는 교실에서 학생 개개인의 소질을 생각할 때이다. 교사는 언제나 긍정적인 생각을 가지고 학생들 한 명 한 명을 소중하게 대해 주어야 한다. 좋아하는 것, 잘하는 것을 찾는 경험을 제공하는 곳이 학교다. 교육자는 교사다. 교사는 할 일이 많고 해야 할 일은 무궁무진하다.

괴테는

"인간이 사랑하지 않고서 이해할 수 있는 것은 아무것도 없다"라고 했다. 학생을 사랑하고, 사회를 사랑하고 인류를 사랑하는 삶이 되길 희망한다.

학교는 이제 바뀌어야 하며 변해야 하는 시기이다.

이 세상에 변하지 않는 것은 없다. 변하지 않는 것은 변한다는 사실 뿐이다. 변화를 두려워하지 말고, 변화에 앞장서는 교사이길 기대한다. 교사는 늘 성장하고 변해왔고, 변화에 잘 적응하며 교육할 것이다. 여러분이 행복해야 하는 이유다.

교사가 행복해야 학생이 행복하다.

학생이 행복해야 학교가 행복하다.

학교가 행복해야 학부모가 행복하다.

학부모가 행복해야 사회가 행복하다.

사회가 행복해야 국가가 행복하다.

8. 부록

한국교육신문과 교육 연합신문 칼럼

한국교육신문	
[현장 칼럼] **인공지능 시대의 메이커교육** 지속 가능한 대한민국의 위대한 미래를 위해, 홍익인간의 이념을 실천하는 메이커교육 문화확산을 기대한다.[14]	

교육 연합신문	
[교육칼럼] **인공지능 시대의 공부는 메이커로** "지속가능한 대한민국 위대한 미래를 위하여, 홍익인간의 이념을 실천하는 메이커교육을 기대한다."[15]	

---

14) 한국교육신문
 https://www.hangyo.com/news/article.html?no=96737
15) 교육 연합신문
http://www.eduyonhap.com/news/view.php?no=64664

맺는말

교사란 어떤 존재인가?

우리나라 유·초·중·고등학교에는 교사가 있다. 학교에서 교사의 역할은 수업과 학생 생활교육 그리고 교무행정업무를 한다. 교사의 역할 중 가장 핵심적인 일은 수업이다. 수업은 지식과 역량을 가르치고 평가하는 일이다. 생활교육은 사회생활을 건전하게 하도록 올바른 인격과 태도로 임하게 도와주는 것이다.

과거에는 '군사부일체(君師父一體)'라는 말로서 교사의 높은 사회적 역할에 대한 기대와 그에 따른 존경의 마음이 표현되었다. 요즘에 들어와서는 교사에 대한 사회적 인식이 낮아져서 아쉬움이 있다.

이런 말이 생각난다. "가장 좋은 교사란 아이들과 함께 웃는 교사이다."라고, 교사가 건강해야 학생과 함께 웃고 즐기며 가르치고 배울 수 있다. 건강관리를 어떻게 해야 하는가?

루소는 "스스로 배울 생각이 있는 한, 천지 만물 중 하나도 스승이 아닌 것은 없다. 사람에게는 세 가지 스승이 있다. 하나는 대자연, 둘째는 인간, 셋째는 사물이다."라고 했다.

교사도 지치고 힘들 때 기대고 싶은 곳이 있다.

교사 혼자 고민하지 말자. "혼자 가면 빨리 가지만 함께하면 멀리 간다"라는 말이 있다. 수업 친구, 동 학년 교사, 전문적 학습공동체가 함께 협력하는 것이다. 교사는 더욱더 성장하고 성숙한 교사가 된다. 수업에서 벗어나는 방법이 있다. 함께 협력 하는 수업 문화를 위해 모이자. 같이 하면 가치가 크다. 교사도 학생도 행복한 학교를 만들려면 함께 하는 게 제일이다. 경험해 봐서 안다.

교직 기간 30~40여 년 해야 한다. 매우 긴 시간이다. 학생 맞춤형 수업 함께할 때 더욱 행복한 교사 생활이다. 기술교사의 일상과 애환, 경험과 제안을 시(詩)와 그림, 글과 이야기 형식으로 표현했다.

교사의 일상은 수업하는 삶이지만, 교사도 사회인이고 직업인이며 평범한 일반인이다. 교사의 삶이 소풍 온 것으로 생각하면, 이 또한 마음이 기쁘지 아니한가?

교사는 존재 그 자체가 목적이고 사명이다. 제시된 글과 시(詩), 그림의 일부 내용으로 교사에 대한 오해가 없기를 바란다. 난 아직도 근무한다. 이 순간이 고맙고, 감사한 일이다.

"어느 학교 다니냐?"고 묻는다면 중학교에 다닌다고 대답하리. "어느 중학교?", "아직도 배우는 중, 공부 중,"….

4부 행복한 기술교사 살아남기

그동안 수업하는 내 삶은 나를 찾게 해주고, 나를 성장시키는 수업을 꾸준하게 한 삶이다. 수업은 과정이다. 지난 추억을 되살리고자 한다,

모든 분에게 학교 경험, 수업 경험, 글을 쓰는 경험을 제공하고자 글을 썼다. 지금 생각하면 지혜를 얻는 일이고, 만족하는 삶이다. 내 삶의 경험을 이 글로 전한다. 학교생활에 조금이라도 도움이 되길 기대한다.

기술 수업과 교수·학습 관련 구체적인 사항은 지금 사진과 수업의 다양한 경험을 자료수집하고 모아서 [메이커 수업 사례] 원고를 작성하고 있으며 출판하면 안내할 것이다. 그동안 도와주신 선생님들께 고맙고 감사를 드립니다. 교사는 공부가 제일이다. 지식 공부, 만들기 공부, 세상 공부, 인생 공부하게 된다. 여러분의 앞날에 꽃길이 펼쳐지길 바라며 이글을 바칩니다.

교사는
다양한 책을 읽고,
연구하고 공부하면 알게 되고,
알게 되면 실천하는 게,
티가 나는 교사이고 교육실천가이다.
감사하고 사랑합니다.

티가 나는 교사의 학교생활 이야기(Talk)

나는
교육실천가
Technology Teacher

저 자 | 강신진

발 행 | 2023년 8월 1일
펴낸이 | 한건희
펴낸곳 | 주식회사 부크크
출판사 등록 | 2014.7.15.(제2014-16호)
주 소 | 서울특별시 금천구 가산디지털1로 119
　　　　　　　 (SK 트윈타워 A동 305호)
전 화 | 1670-8316

ISBN | 979-11-410-3760-4

www.bookk.co.kr
ⓒ 강신진 2023

참고 문헌

《네 꿈을 펼쳐라》, 강신진, Bookk, 2023.

《행복한 교사의 사계절 일상》, 강신진, 유덕철, Bookk, 2023.

《행복해지는 교사들의 7가지 수업》, 강신진, 유덕철, Bookk, 2023.

《수석교사 수업 톡(talk)》, 강신진, 장양기, 유덕철, Bookk, 2023.

《내 마음의 시(詩)》, 강신진, 원성균, Bookk, 2022.

《수석교사 제도》, 강신진, 부크크, 2023.

《세상에 이런 법이》, 강신진, 부크크, 2022.

《네 꿈을 펼쳐라》, 강신진, Bookk, 2023.

《누구나 글쓰고 작가되는 비법》, 강신진, 최진, Bookk, 2023.

참고사이트

1) 위키백과 https://ko.wikipedia.org/wiki/제4차_산업혁명

워드클라우드 (https://wordcloud.kr)

교육기본법 국가법령정보센터법규

       (https://www.law.go.kr/법령/교육기본법)

위키백과 (https://ko.wikipedia.org/wiki/홍익인간)

위키백과 (https://ko.wikipedia.org/wiki/웰빙)

한국교육신문

  http://www.eduyonhap.com/news/view.php?no=64664

교육연합신문

  https://www.hangyo.com/news/article.html?no=96737